AMOR WABI SABI

ARIELLE FORD

AMOR WABI SABI

Aceite os defeitos do amor
e transforme a sua relação

LeYa

Título original: Wabi Sabi Lobe

Diretor editorial: Pascoal Soto
Editora executiva: Maria João Costa
Assessora editorial: Raquel Maldonado
Preparação de texto: Fabrício Fuzimoto
Revisão de texto: Breno Barreto
Tradução: Thaís Paiva
Diagramação: Abreu's System
Designer de capa: Maria Manuel Lacerda
Produção gráfica
Direção: Marcos Rocha
Gerência: Fábio Menezes

CIP-BRASIL. CATALOGAÇÃO-NA-FONTE
SINDICATO NACIONAL DOS EDITORES DE LIVROS, RJ

Ford, Arielle
Amor Wabi Sabi / Arielle Ford; tradução de Thaís Paiva; coordenação de Maria João Costa; organização de Raquel Maldonado. – Rio de Janeiro : LeYa, 2013.
224 p.

Título original: *Wabi Sabi Love*
ISBN 978-85-8044-803-0

1. Relacionamento 2. Alma gêmeas 3. Amor I. Título II. Paiva, Thais III. Costa, Maria João IV. Maldonado, Raquel

13-0591 CDD: 305.31

2013

TEXTO EDITORES LTDA.
[Uma editora do Grupo LeYa]
Rua Desembargador Paulo Passaláqua, 86
01248-010 – Pacaembu – São Paulo – SP – Brasil
www.leya.com.br

Para Sheila, minha mãe corajosa, linda e brilhante, que primeiro me mostrou como não "fazer" um casamento, e então, da segunda vez, cultivou a melhor forma de amor verdadeiro.

O que é Wabi Sabi?

Wabi Sabi é uma antiga forma de arte japonesa que busca beleza e perfeição na imperfeição. Wabi Sabi celebra o que não é perfeito, o que não é permanente, o que não é completo, e encontra beleza no que é simples, humilde e pouco convencional.

O amor Wabi Sabi é a arte e o exercício de amar as imperfeições em nós mesmos e em nossos companheiros. Não é a mera aceitação ou negação daquilo que nos irrita (ou até mesmo do que nos deixa loucos), e sim o profundo apreço pela singularidade do outro.

Imagine um enorme vaso, com mais de um metro de altura, riscado bem no meio por uma rachadura comprida. Poderíamos ser tentados a afirmar de imediato que o vaso é feio, que deveria ir para o lixo, e passar por ele sem dar muita atenção. Mas os praticantes do Wabi Sabi poderiam pôr o vaso em um pedestal e iluminar a rachadura com um holofote para enaltecer a história e a beleza de sua imperfeição.

Assim como no vaso rachado, fissuras são partes de nós mesmos que não podem ser modificadas. O amor Wabi Sabi permite que amemos e aceitemos as rachaduras em nós mesmos e em nossos companheiros. É a beleza escondida que dança bem à frente dos nossos olhos, iluminando nossa singularidade, incentivando nossa humanidade e criando laços que nos unem uns aos outros.

Sumário

Prefácio

É com prazer que apresento um livro genuinamente útil sobre um assunto de importância atemporal: como criar e nutrir um amor duradouro. Arielle Ford é uma amiga muito querida, uma confiável colega com quem trabalho há muitos anos. Fico feliz que ela tenha resolvido nos presentear com este livro capaz de abrir corações e expandir mentes. Minha felicidade é multiplicada porque sei que ele irá mudar e iluminar muitas vidas.

Como disse o poeta Torquato Tasso, "any time not spent on love is wasted (todo tempo não gasto em amor é tempo desperdiçado)". Em *Wabi Sabi Love*, Arielle Ford não desperdiça um momento sequer do seu tempo. A autora vai direto ao coração do que é necessário para fazer o amor crescer e prosperar com o tempo. O cerne deste livro é a percepção profunda de como fluir junto com suas experiências dentro de um relacionamento íntimo. Em *Wabi Sabi Love*, você aprenderá a aceitar e amar imperfeições – as suas e as de seu companheiro. É muito provável que você depare com o seu quinhão de imperfeições ao percorrer os caminhos do amor, então é melhor saber dançar conforme seu ritmo. Este livro é um verdadeiro tesouro de inspiração e informação para não apenas conviver com a imperfeição, mas também prosperar com ela.

Este livro traz muitas pérolas, mas gostaria de citar uma delas aqui. Como diz Arielle, "Bem cedo no nosso relacionamento, decidimos que nossa união seria nossa maior prioridade. Prometemos um ao outro que nossas decisões seriam baseadas não no que Arielle queria, ou no que Brian queria, mas no que fosse fundamentalmente melhor para o nosso relacionamento". Ao ler essa passagem, fiquei pensando: "Por que não aprendemos esse tipo de sabedoria na escola?". Imagine quantos erros poderíamos evitar e quanto amor poderíamos colher se soubéssemos alguns simples princípios como os que Arielle compartilha neste livro.

Arielle tem uma importante qualificação no campo dos relacionamentos – e que, por acaso, é a única qualificação que de fato importa: um maravilhoso relacionamento de muitos anos com seu marido, Brian Hilliard. Kathlyn e eu convivemos com Arielle e Brian em diversas ocasiões e somos testemunhas de que a relação deles é um exemplo vivo do que ela ensina.

Relacionamentos de qualidade como o de Arielle e Brian não florescem com o tempo por obra do acaso ou por uma questão de carma, mas são o resultado da dedicação à aplicação de boas ideias e boas habilidades – e *Amor Wabi Sabi* traz ambas em abundância. Por esta razão, além de muitas outras, eu o recomendo com entusiasmo.

Gay Hendricks, Ph.D., autor de *Os cinco desejos* e *The Big Leap* [*O grande salto*]; coautor (com Kathlyn Hendricks, Ph.D.) de *Conscious Loving* [*Amor consciente*] e *The Conscious Heart* [*O coração consciente*]

Introdução

"Amor não é encontrar a pessoa perfeita, e sim aprender a ver perfeição em uma pessoa imperfeita." Sam Keen

Amor. Assim como ar, comida e água, ele é um dos ingredientes vitais à nossa existência. O amor nutre nossas almas e desperta nossos desejos mais profundos – e no entanto, para muitas pessoas, ele é uma das coisas mais difíceis de achar. Mais difícil ainda é preservar o amor uma vez que o encontramos.

Quando se trata de fazer o amor durar, a realidade é bastante perturbadora. Hoje, 50% dos primeiros casamentos, 67% dos segundos casamentos e 74% dos terceiros casamentos terminam em divórcio. Porém, por mais sombrias que sejam as estatísticas, sempre existe a esperança de manter o amor vivo. Existe no horizonte um novo paradigma que tem o poder de tirar o foco de tudo que parece estar errado e transferi-lo para tudo que está certo.

Mesmo que você tenha a sorte de estar com alguém compatível com você em um nível físico, emocional ou espiritual, é muito provável que ele ou ela possua uma característica (ou uma porção delas) que você gostaria que fosse só um pouco diferente. Talvez você preferisse que seu companheiro fosse um amante mais apaixonado ou um ouvinte mais atento, que não deixasse pilhas de roupas espalhadas pela casa ou que compartilhasse mais dos seus interesses criativos. Se você já acordou um dia e pensou: "Se ao menos as coisas fossem diferentes", saiba que não está sozinho.

O fato é que nossa cultura nos condicionou a esperar perfeição de nós mesmos e dos outros, o que muitas vezes nos conduz a um estado permanente de frustração e insatisfação. A mente humana pode ser uma máquina especializada em encontrar defeitos, cuja única função é localizar com precisão cirúrgica as poucas coisas que deixam a desejar, ao invés de manter um foco mais amplo no que temos em abundância. Se você, como muitas pessoas, perdeu de vista a floresta que é seu amor profundo pelo seu companheiro por causa das árvores das imperfeições dele (ou dela), as ferramentas e habilidades que você aprenderá neste livro permitirão que você veja a si mesmo e ao seu parceiro com novos olhos, além de fortalecer os laços que os uniram em primeiro lugar e alçar seu relacionamento a um novo patamar.

Este livro tem firmes raízes na crença de que a maneira com que escolhemos ver as situações influencia na forma com que elas se apresentam para nós. Assim como qualquer pessoa em um relacionamento longo, você sabe bem que uma pequena mania ou idiossincrasia pode começar como uma dorzinha de cabeça e se transformar numa enxaqueca. Com que frequência vocês brigam sobre os mesmos motivos banais? E se, ao invés de concentrar sua atenção em tentar mudar aquele pequeno traço de seu companheiro, você tivesse a habilidade de mudar de verdade a forma como você vê esse traço? O foco em tudo na relação se alteraria de repente.

Como atingir esse objetivo aparentemente impossível? Aprendendo a aplicar os princípios atemporais do Wabi Sabi. Baseado na antiga estética japonesa de encontrar beleza na imperfeição, *Wabi Sabi Love* direciona esse conceito para relacionamentos amorosos: é a arte de amar as imperfeições do seu parceiro em vez de alimentar a ilusão de que sua relação só funcionará às mil maravilhas quando ambos estiverem agindo e se comportando de uma forma perfeita e aceitável para o outro.

Imagine as possibilidades que se abririam em seu relacionamento se você pudesse aprender a aceitar, apreciar e até mesmo ver a dádiva nas imperfeições de seu companheiro. Não apenas tolerar os supostos defeitos, mas de fato descobrir a perfeição em tudo o que é imperfeito nele. Ao aprender a viver segundo o Wabi Sabi, você e seu companheiro criarão um relacionamento amoroso, duradouro, comprometido e cheio de alegrias que irá iluminá-los como casal; ao abraçar suas práticas, terão a certeza de que ambos são melhores juntos do que separados e de que os laços que os unem ficarão sempre mais fortes, mais profundos e mais significativos.

Lembro-me de ter ficado encantada quando ouvi falar do conceito do Wabi Sabi pela primeira vez. Era um fim de uma tarde fria de outono, mais de vinte anos atrás. Estava olhando pela janela do meu escritório, admirando as cores do céu, seu tom avermelhado com nesgas de luz alaranjada ao redor do sol poente. Peguei uma revista e dei de cara com um artigo que tinha uma impressionante fotografia em preto e branco de uma enorme urna asiática em um pedestal, com uma rachadura longa e torta bem no meio. A rachadura estava destacada pela luz de um holofote. O quê? Não fazia sentido. O título dizia "A Arte do Wabi Sabi".

Curiosa, comecei a ler a respeito dessa frase exótica. No mundo do Wabi Sabi, a urna na fotografia era ainda mais bonita e valorizada *por causa* de sua rachadura, de sua imperfeição. O cantor e poeta Leonard Cohen expressou com clareza o princípio básico do Wabi Sabi em sua canção "Anthem": "Ring the bells that still can ring; forget your perfect offering. There is a crack in everything; that's how the light gets in" ["Toque os sinos que ainda podem tocar; esqueça sua oferenda perfeita. Em tudo existe uma rachadura; é por ali que entra a luz"].

Ver a maneira como o Wabi Sabi ajuda a destacar a beleza escondida na vida teve um impacto imediato e profundo em mim, e logo comecei a perceber como essa antiga arte está relacionada ao amor. Muitas coisas passaram a fazer sentido. Já sabia, é claro, que não era perfeita e que não era capaz de atingir a perfeição, mas nunca havia considerado a ideia de que eu não somente deveria *parar de perseguir* a perfeição, como também deveria aceitar que, à sua maneira, *minha imperfeição era muito mais valiosa que a própria perfeição*.

Foi como se o peso do mundo tivesse deixado meus ombros. Agora podia respirar um pouco melhor e mais fundo. A montanha de papéis na minha mesa deixou de ser evidência da minha mente desorganizada e passou a ser um testemunho da minha criatividade e do meu trabalho árduo. A mancha que foi parar na minha blusa em um almoço de negócios deixou de ser uma prova constrangedora dos meus modos desajeitados à mesa e virou uma prova do meu grande apetite pelo alimento e pela vida. Foi ali e então que decidi me tornar uma artesã do Wabi Sabi, e o que começou como um simples desejo sincero de celebrar a imperfeição em mim mesma acabou virando uma escolha por um estilo de vida.

Um dia, disse ao Brian (minha alma gêmea) que gostaria de ver se um casal podia aplicar os princípios do Wabi Sabi em um relacionamento sério de longo prazo e ainda preservar a deliciosa alegria e a mágica que os uniu. Logo descobri que o Wabi Sabi é o segredo do amor eterno.

Aceitar a imperfeição não foi uma ideia fácil de engolir, já que venho de uma longa linhagem de mulheres corajosas e competentes que sabem "fazer e acontecer". Minha avó Ada tinha uma vontade de ferro e, ao ganhar na loteria irlandesa, usou o dinheiro para levar a família do Brooklyn para Miami, onde começaram um novo negócio familiar, numa época em que mulher "não se metia com essas coisas". Seguindo a linhagem materna, minha mãe, Sheila, é uma mulher linda que ama diversão e aventura, uma fonte inesgotável de energia. É confiante, inteligente e muito assertiva — uma mulher de negócios bem-sucedida desde muito antes de se ouvir falar em ícones do feminismo como Gloria Steinem*. Minha mãe sempre me ensinou a cuidar de mim mesma, dando pouca importância aos sentimentos das pessoas à minha volta. Quem tem tempo de se preocupar com isso? O lema dela era: "seja durona e faça o que tem que ser feito". O fato é que eu não seria a mulher que sou hoje se não fosse pelo exemplo poderoso de minha mãe. Do mesmo modo, também percebi bem cedo em meu relacionamento com Brian que a atitude de liderança que me servia tão bem no trabalho acabava sendo prejudicial em casa.

---

* Jornalista, escritora e palestrante norte-americana, célebre por seu engajamento com o feminismo. [N. da T.]

Numa tarde, peguei-me com as mãos nos quadris, apontando o dedo para Brian e prestes a manifestar uma opinião de maneira muito forte sobre alguma coisa, quando felizmente me contive. Meu Deus! Estava a um passo de me tornar uma megera, agindo de forma opressora. Estava tão perdida em minhas próprias necessidades e vontades que havia ignorado por completo as necessidades e vontades do homem que eu amava mais do que qualquer outra pessoa – o homem por quem havia procurado a vida inteira! Não era aquela a mulher que eu sempre sonhara ser no relacionamento com minha alma gêmea. Impotente, percebi que estava sendo dominada por uma fortaleza de intolerância e autoritarismo. O que eu podia fazer?

Num arroubo de inspiração, disse a Brian que, caso me visse agindo daquela forma outra vez (algo que profetizei como inevitável), ele teria minha permissão irrestrita para perguntar:

— A Sheila está por aí?

A referência à minha mãe, Sheila (a quem, por sinal, eu amo de paixão) seria uma maneira leve de me lembrar de que meu modo forte e voluntarioso de me comunicar, que funciona tão bem no trabalho, precisava ser abrandado para que a paz pudesse reinar em nosso lar. Brian riu e concordou de pronto. Então, amoroso e participativo como é, reciprocou de imediato e também me deu uma colher de chá:

— Se acontecer de eu dar um gelo em você ou agir de forma muito paternalista — disse ele —, você tem a permissão para me chamar de Wayne.

Opa. A coisa ficou séria. Wayne era pai de Brian, uma presença importante e forte na vida dele, mas que não era muito hábil em expressar seus sentimentos, e eu sabia que Brian não queria reproduzir esse comportamento.

Foi assim que nós descobrimos, bem cedo em nosso relacionamento, uma maneira suave e carinhosa de dissolver assuntos potencialmente delicados. Eu ainda não havia ligado os pontos o suficiente para perceber que estávamos praticando a antiga arte do Wabi Sabi. Entendia apenas que nossa relação era adulta e madura, ao mesmo tempo em que era criativa de um modo divertido e saudável. Isso nos deixou estupefatos, mas contentes. Foi tão simples, sem raiva ou drama, e ao mesmo tempo mudou nossas vidas. Ao olhar para trás, constatamos que aquele foi um importante ponto da virada na vida de cada um de nós. Aquela era uma forma nova de nos relacionarmos que por algum motivo jamais nos ocorrera em namoros anteriores. Além disso, caso não tivéssemos decidido seguir essa abordagem (a da gentileza em relação à imperfeição do outro), ambos temos a certeza de que nosso relacionamento teria despencado ladeira abaixo (assim como acontecera com os anteriores) e que nós dois acabaríamos machucados e marcados emocionalmente – e, mais uma vez, sozinhos.

Por sorte, estávamos prontos. Aprendemos a aplicar a arte do Wabi Sabi no exercício de oferecer um ao outro o nosso melhor, incluindo os defeitos, e, desde então, jamais interrompemos o fluxo do Wabi Sabi. Sem dúvida, esse é o segredo de nosso relacionamento como almas gêmeas. Essa prática antiga trouxe para mim – para nós – mais felicidade e amor do que qualquer um dos dois poderia imaginar. E sei que isso é algo que você também pode vivenciar.

Após o sucesso de *Alma gêmea – encontre o amor com o poder da atração*, tanto leitores quanto amigos nos fizeram duas perguntas: "Agora que encontrei o amor, como fazê-lo durar a vida inteira?" e "O que devo fazer para que a pessoa que amo se torne minha alma gêmea?". Enquanto *Alma gêmea* revelou os princípios para *atrair* o amor, este livro oferece meios sustentáveis para *viver* esse amor.

Neste livro, compartilho o conhecimento que eu mesma adquiri ao logo de minha jornada, além da sabedoria de muitas outras pessoas que lançaram mão dos princípios do Wabi Sabi para descobrir um amor mais profundo e pleno. Contarei histórias inacreditáveis, capazes de mudar sua vida, e que oferecerão uma vasta gama de ideias para que você aplique o Wabi Sabi em seu cotidiano e seus relacionamentos. Você aprenderá a recorrer ao humor, à capacidade de ouvir, à intimidade e à generosidade justamente naqueles momentos em que sua resposta habitual seria o impulso de se afastar. Como você bem sabe, o amor pode até ser simples, mas quase nunca é fácil.

Por exemplo, eu pensava que, uma vez encontrada minha alma gêmea, nosso amor se desenvolveria como uma consequência natural. Viveríamos no piloto automático, flutuando felizes de um dia delicioso para outro. Quem dera! Todos os casais – até mesmo as almas gêmeas – precisam enfrentar desafios e superar obstáculos num relacionamento. Este livro ilumina o caminho para que triunfemos sobre nossas imperfeições, mas não através da negação ou da mera tolerância: ao invés disso, devemos conhecer muito bem nossas imperfeições e celebrá-las!

Nestas páginas você aprenderá a pôr em prática a sabedoria do Wabi Sabi para minimizar o conflito e criar um relacionamento mais profundo e amoroso. Aprender a vivenciar o amor Wabi Sabi não é algo que acontece da noite para o dia. No entanto, ao lembrar-se dos preceitos simples dessa sabedoria (encontrar a perfeição e a beleza da imperfeição tanto em você quanto na pessoa amada), você perceberá que é capaz de relevar conflitos e superar desafios muito mais rapidamente, transformando o seu relacionamento e a si mesmo nesse processo.

Este livro, que se concentra numa prática do amor Wabi Sabi por capítulo, foi criado para ajudá-lo a desenvolver ferramentas e ideias para cumprir a promessa de um bom relacionamento entre almas gêmeas. Não é uma questão de aceitar comportamentos nocivos ou viciosos, mas de envolver todo o ser de seu companheiro, e o seu próprio ser, em um relacionamento sustentável e duradouro.

Amor Wabi Sabi ensina a cultivar o amor por si mesmo e pelo companheiro, principalmente nos dias em que um de vocês fizer drama, for teimoso, bancar o difícil, se recusar a escutar, descumprir promessas, virar um poço de negatividade ou de autocomiseração, se fechar, se isolar ou agir de forma rabugenta, geniosa e imprópria para o convívio humano. Parece familiar?

Se você descobrir que, mesmo depois de virar príncipe (ou princesa), o seu sapo (ou sapa) ainda tem algumas verrugas, junte-se ao clube. Você pode não ser perfeito, mas através das práticas ensinadas neste livro, o seu amor pode ser.

Este livro alterna de forma aleatória entre as formas do feminino e do masculino ("ele" e "ela"), porque o amor Wabi Sabi serve para todos!

Espero do fundo do coração que você consiga usar as ideias, as ferramentas, as histórias e as práticas oferecidas neste livro para sentir mais amor, mais alegria, mais compaixão e mais paz por si mesmo e pela pessoa amada. Hoje, mais do que nunca, o planeta precisa das boas vibrações que irradiam dos casais felizes de verdade – então vamos lá!

Desejando uma vida de amor Wabi Sabi,

Arielle Ford

La Jolla, Califórnia.

AVISO:

Praticar o amor Wabi Sabi não é um convite a entrar em negação ou se conformar com comportamentos ou situações ruins. Caso você perceba que está em um relacionamento nocivo, procure orientação profissional imediatamente.

UM

Cultivando um coração generoso

"Ensinem a todos esta tripla verdade: um coração generoso, uma fala gentil e uma vida de serviço e compaixão são coisas capazes de renovar a humanidade." — Buda

Como a maioria dos recém-casados, Brian e eu vivemos vários meses de felicidade perfeita logo após nos casarmos. Mas como qualquer um poderia dizer, a vida de casado é bem diferente do romance de antes do casamento. Já reparou que nunca chegamos a saber o que acontece com Cinderela depois que ela é arrebatada pelo príncipe e eles seguem juntos rumo ao pôr do sol? O que ninguém nos conta é que na vida real precisamos aprender a conviver com a outra pessoa: seus hábitos, suas peculiaridades e, claro, suas manias simplesmente irritantes.

De todos os ótimos presentes que ganhamos dos amigos e familiares em nosso chá de panela, o único que não recebemos foi o manual sobre como ter um ótimo relacionamento. E como seria de se imaginar, meus 44 anos de solteira não me haviam preparado nem um pouco para dividir a vida com alguém. Mulher de negócios que era, estava acostumada a tomar todas as decisões e estar sempre no controle de onde ir, o que fazer, quando e com quem fazer.

Brian, por outro lado, foi um atleta de sucesso e fez parte de uma equipe durante boa parte de sua vida e por isso, se preocupava em demasia com os efeitos de suas ações nas pessoas e no mundo à sua volta.

Bem cedo no nosso relacionamento, decidimos que nossa união seria nossa maior prioridade. Prometemos um ao outro que nossas decisões seriam baseadas não no que Arielle queria, ou no que Brian queria, mas no que fosse fundamentalmente melhor para o nosso relacionamento. Esse compromisso compartilhado significava que quando deparássemos com os inevitáveis desentendimentos e aborrecimentos, nenhum de nós ameaçaria ir embora e ambos assumiríamos a responsabilidade de encontrar uma solução.

Juntos, exploramos *workshops* especializados em casais para aprender estratégias para abrir nossos corações e manter nosso amor no caminho certo, e sempre mantivemos as linhas de comunicação muito abertas. Compartilhávamos nossos pensamentos e sonhos mais íntimos, bem como nossas imperfeições e nossos medos.

Tivemos a sorte de encontrar orientação em nosso círculo de amizades: bons exemplos de amigos e colegas casados e felizes, almas generosas que fizeram a bondade de compartilhar sua sabedoria conosco. Eles, e muitos outros que navegaram com sucesso as revoltas águas maritais, compartilham nestas páginas suas histórias sobre como transformar conflito em conexão e compaixão.

Nos últimos 14 anos, Brian e eu criamos juntos uma vida que excede, em muito, tudo o que eu havia imaginado antes. Quando chego em casa de um dia cheio, às vezes largo meus sapatos em qualquer lugar. E vejam só, quando Brian encontra um deles por aí, ele se ajoelha e põe com ternura o sapato de volta no meu pé, provando que a vida de casado pode, sim, ter seus momentos de conto de fadas. E então há aquelas outras ocasiões de luta pelo controle remoto, ou aquelas em que parece impossível entrar num acordo sobre aonde ir para um jantar especial, e você se pergunta se é possível que duas pessoas tão diferentes consigam encontrar felicidade duradoura.

Quem conhece algo sobre a Lei da Atração sabe que precisamos primeiro declarar nossa visão para que ela possa então se tornar realidade. Ao listar as qualidades que buscava em minha alma gêmea, tive o cuidado de enunciar cada item de uma forma positiva, como por exemplo: "Ele será carinhoso, gentil e generoso". Fazer afirmações positivas sobre suas intenções é um truque antigo para se conversar com o Universo, já que ele é incapaz de entender a palavra "não". De acordo com a Lei da Atração, quando dizemos "*Não* quero X, Y ou Z", acabamos conseguindo exatamente X, Y e Z. E embora conhecesse a regra, ainda não havia conseguido frasear de uma maneira positiva um dos meus requisitos mais importantes, então acabei escrevendo apenas "Ele *não* será fanático por futebol americano".

Cresci com um pai e um irmão que comiam, bebiam e respiravam futebol americano, e como era só disso que falavam, era comum que eu sentisse que o esporte era meu arqui-inimigo na disputa pela atenção paterna. A verdade é que eu detesto futebol e não conseguia nem pensar em passar a vida vendo partidas ao lado de alguém, com a TV no último volume. Para ser honesta, preferia ficar sozinha a me sujeitar ao ruído dos capacetes se chocando e aos grunhidos daqueles homens de calças apertadas brigando por uma bola oval, ao som da torcida de 70 mil fãs.

E adivinhem só? Consegui aquilo que eu tanto rejeitei. Acaba que Brian era um grande torcedor – de basquete! Ok, talvez não fosse exatamente futebol americano, mas as semelhanças eram muitas. Brian já foi jogador de basquete, o que justificava seu gosto pelo esporte, mas isso não mudava o fato de que, a princípio, eu não sabia se conseguiria superar aquele que julgava ser o obstáculo mais espinhoso. Será que eu teria que competir pela atenção dele, assim como havia feito com a de meu pai?

Seria injusto de minha parte desprezar o mundo do esporte por completo. Afinal de contas, os atletas trabalham com muito afinco por seus objetivos, dedicando incontáveis horas aos treinos, longe das vistas do mundo. Além do mais, quem não se arrepia assistindo às Olimpíadas? Admito que eu mesma já derramei uma ou duas lágrimas ao ver medalhistas em atitude de reverência no topo do pódio. Na verdade, o que me fazia hesitar no início do meu relacionamento com Brian não era a questão dos jogos organizados em si, mas sim a ideia de ter que competir pela atenção dele, de ficar no banco de reservas enquanto um bando de homens na TV de tela plana estaria no time titular.

Decidi encarar a primeira de muitas provações e me abrir à possibilidade de aprender a gostar de esportes. Não podia ser tão mau, podia? O que ganharia se abrisse mais a minha cabeça? Mais importante, o que perderia se não tentasse encontrar algo positivo na paixão de meu marido pelo esporte? Era chegada a hora de fazer meu dever de casa, e por sorte logo encontrei pesquisas que confirmaram minha crença de que as incompatibilidades são inerentes a qualquer relacionamento.

John Gottman, Ph.D., psicólogo e pesquisador que passou 35 anos estudando pessoas casadas, descobriu que todo casal feliz tem cerca de dez diferenças irreconciliáveis. Em outras palavras, estudos científicos comprovaram que as diferenças são parte natural de um casamento feliz! Que alívio!

Não é de surpreender que Gottman tenha descoberto que as campeãs entre as diferenças irreconciliáveis estejam relacionadas a dinheiro e crianças. Outras incluem sexo, sogros, tarefas domésticas, posicionamento político, comunicação, equilíbrio entre o trabalho e o lar e idiossincrasias pessoais. De acordo com Susan Boon, Ph.D., psicóloga social da universidade de Calgary, o segredo consiste em aceitar as diferenças ao invés de tentar solucionar o insolúvel. A solução Wabi Sabi é abraçar os gostos, opiniões, preferências e pontos de vista particulares de nossos companheiros (ou seja, aquilo que nos torna indivíduos), ao invés de tentar eliminá-los.

Na teoria, tudo parecia ótimo. Mas será que eu seria capaz de superar de verdade minha fobia por esportes, celebrar nossa diversidade e abraça-lá por completo?

Princípio Wabi Sabi

Diferenças são inevitáveis. O que importa é a maneira com que lidamos com elas, e é aí que ser um artesão do Wabi Sabi realmente compensa.

Valendo-me das lições Wabi Sabi que aprendi com minha amiga Moji, percebi que havia uma saída para meu dilema. Moji, uma mulher inteligente por quem tenho muito respeito, enfrentou um desafio semelhante ao meu quando se apaixonou por Jason, fã roxo de futebol americano. A postura dela abriu meus olhos para a possibilidade de meu futuro me oferecer uma solução Wabi Sabi.

Apaixonando-se por futebol americano

Jason e Moji estavam ainda em seu terceiro encontro quando ele sugeriu que passassem o dia assistindo a um jogo de futebol "muito importante". Apesar do baque inicial, ela tentou manter a mente aberta.

— Meu filho estava no primeiro ano da escola secundária e tinha acabado de entrar para o time de futebol americano — disse ela —, então eu já estava um pouco acostumada ao esporte. Aprendi bem rápido os princípios básicos desse jogo cheio de empurrões e encontrões, mas passar nosso encontro vendo homens feitos empurrando e intimidando uns aos outros não era bem a minha ideia de romance.

Era o início da temporada. Jason e Moji ainda estavam se conhecendo, e apesar de Jason falar sobre futebol americano o tempo todo, eles desenvolveram uma ligação forte o suficiente para deixar o esporte em segundo plano. Ficou claro que havia entre eles uma chama.

— Antes de cada jogo — lembra ela —, ele me contava, animado, as novidades dos jogadores, dizia quem estava contundido, falava sobre estatísticas. Durante as partidas, ele falava em detalhes sobre a complexidade e as nuances de cada jogada. A paixão dele pelo jogo era inquestionável.

Algumas semanas temporada adentro, Moji teve um estalo sobre uma importante característica do homem por quem estava se apaixonando. Seu novo pretendente podia ser extrovertido, atlético e muito divertido, mas também tinha um defeito fatal: era literalmente obcecado por futebol americano e tudo relacionado ao esporte.

Não demorou muito para que ela sentisse que estava disputando a atenção de Jason e começasse a se perguntar: "Será que serei eu *versus* futebol?". Tinha nas mãos um dilema. Será que seria melhor aturar as partidas e fingir que estava se divertindo ou correr o risco de acabar dando um ataque toda vez que houvesse um jogo na TV? Ceder a uma dessas opções era tentador, mas ela percebeu que havia muito potencial naquele relacionamento e então decidiu que queria aproveitar de verdade o tempo que passava com Jason, ao invés de apenas fingir. E arrumar briga toda vez que ele mencionasse futebol seria um atalho certo para o fim do namoro.

Então ela pensou: "Será que não podemos ser eu *e* o futebol?". Moji deliberou seriamente sobre o que seria necessário para que ela e Jason dessem certo e. mais importante, para que o relacionamento florescesse. Pensou nos elementos do futebol americano. Um monte de homens atraentes e atléticos agarrando uns aos outros. Um esporte que envolve velocidade, precisão e estratégia. Ponderou sobre as qualidades redentoras do esporte e sua certeza começou a vacilar.

Por fim, chegou a uma conclusão:

— A única coisa que posso fazer é mergulhar de cabeça e fazer de tudo para conhecer o jogo com corpo, mente e espírito. Talvez eu passe a amá-lo também.

Moji começou a fazer perguntas sobre diferentes posições e jogadas e até passou a usar um caderninho para fazer anotações conforme aprendia mais sobre times, jogadores e até técnicos da NFL.

— Quando dei por mim, já estava viciada. Sem brincadeira! Comecei a amar futebol americano! — disse ela.

Por um feliz acaso, durante a temporada de futebol americano do ano seguinte, Jason pediu Moji em casamento, e a cerimônia aconteceu pouco tempo depois.

Agora, passados cinco anos, eles planejam sua vida social ao redor do futebol americano em vários níveis, desde futebol escolar, passando pelo universitário, até os jogos profissionais – e amam fazer isso.

— Minhas amigas acham que faço isso pelo meu marido — disse Moji —, mas a verdade é que é por mim mesma. Hoje sou fã de carteirinha de futebol americano!

Enquanto Moji aprendeu a amar futebol americano, Jason também precisou aprender a aceitar algumas características dela – sendo a primeira seu estilo de criar filhos. Jason, antes um solteirão convicto, viu-se de repente no papel de padrasto de um adolescente, algo que admite ter sido um grande desafio para ele.

— Não existe um manual sobre ser padrasto — disse ele. — Não sou muito fã de regras, sou mais chegado a felicidade e harmonia.

Na família de Jason, todos faziam as próprias camas e lavavam a própria louça, então ele teve dificuldades em aceitar a forma mais complacente com que Moji encarava a criação de seu filho único.

— A justificativa que ela dá para não pedir que o filho faça alguma coisa em casa é o fato de ela ser persa — explicou ele.

Jason demorou algum tempo para aceitar o jeito de Moji, mas logo percebeu que "uma esposa feliz significa uma vida feliz".

Eis dois exemplos de como é ter um coração generoso: a determinação de Moji em explorar as possibilidades que os interesses de seu companheiro poderiam reservar para ela e a capacidade de Jason de aceitar as noções de criação da esposa. Talvez nunca concordemos por completo com a forma com que nossos companheiros veem a vida, mas podemos aprender a aceitar, apreciar e respeitar seus pontos de vista, e a considerar suas opiniões como sendo autênticas e tão válidas quanto as nossas. Moji e Jason descobriram que suas características tinham profundas raízes culturais. Rejeitar qualquer um desses aspectos culminaria no fim da relação, ao passo que, ao aceitar suas diferenças, eles fortaleceram sua união.

Se por um lado admiro a habilidade com que Moji abraçou por completo o futebol americano, preciso admitir que demorei muito tempo para conseguir desenvolver minha aceitação pelo fanatismo de meu próprio marido por esportes.

Princípio Wabi Sabi

Aceitar os aspectos mais fundamentais de seu companheiro é o que sela a união em seu relacionamento.

No início da minha relação com Brian, descobri que ele quase nunca assistia a jogos de futebol americano (restringia-se aos *playoffs* e ao Super Bowl), mas nutria uma paixão quase insana por basquete. Pode-se dizer que ele vem de uma família louca por basquete, quer sejam partidas na escola, quer sejam jogos universitários ou da NBA. Acredite, esse povo *come, reza e ama* basquete. Em minha primeira visita ao Oregon para conhecer sua família, ele me levou para assistir ao meu primeiro jogo da NBA: um jogo do Portland Trailblazers, no estádio Rose Garden. No melhor estilo Brian Hilliard, nossos lugares eram na linha da quadra e custavam mais ou menos o mesmo que um carro médio. Não estava preparada para a explosão de sons e luzes ofuscantes ou para a intensidade da multidão. Sou uma pessoa altamente sensível (HSP, sigla em inglês), então me vi presa em um pesadelo. Meu sistema nervoso estava assoberbado. No fim do primeiro período, minha dor de cabeça estava prestes a atingir níveis colossais.

Brian foi muito compreensivo e me assegurou que não haveria problema se fôssemos embora. Fomos jantar em um café calmo e romântico, onde falamos sobre a vida, o amor e o nosso futuro. O único tópico evitado foi o basquete.

Ao longo de alguns anos seguintes, fiquei sabendo um pouco sobre o tempo em que Brian jogou basquete pelo time de sua universidade, os Beavers da Universidade Estadual do Oregon (OSU, sigla em inglês). Mas ele era muito modesto e não cheguei a entender bem a magnitude de sua carreira de atleta. Então, em uma de nossas visitas a Portland, fomos a um *resort* no monte Hood para a festa de aniversário de um dos amigos mais próximos de Brian. Estávamos sentados perto de duas jovens adoráveis cujos pais também haviam frequentado a OSU. Em determinado ponto da conversa uma das mulheres perguntou a Brian seu sobrenome.

Quando ele respondeu "Hilliard", as duas mulheres literalmente gritaram em uníssono.

— Brian Hilliard? Você é mesmo *o* Brian Hilliard?

— Sou — disse ele, orgulhoso, mas contido.

— Meu deus! Meu pai vai ter um treco quando descobrir que conheci você! Para ele, você sempre foi o melhor jogador dos Beavers de todos os tempos! Ele adorava o seu jeito de jogar.

Olhei para meu marido e pensei: "Uau. Eu me casei com um atleta. Quem diria!" Eu não sabia nada sobre basquete, mas estava prestes a aprender. Durante os primeiros seis meses em que moramos juntos, percebi que, todo dia, Brian cortava uma página do caderno esportivo do jornal local e fazia anotações nela. Um dia, perguntei se era uma palavra cruzada ou algo assim. Ele me deu uma olhada daquelas e quase rolou no chão de tanto rir, e então falou:

— São as chaves atualizadas do campeonato de basquete universitário.

Hã? Foi então que soube que precisava aprender mais sobre o mundo secreto dos esportes de Brian.

Compartilhar a paixão de seu companheiro nem sempre é fácil, ainda mais quando se tem uma aversão inata a ela. Mas àquela altura do campeonato, entendi que o coração de um artesão Wabi Sabi é generoso. Generoso na forma de enxergar o companheiro e na forma de enxergar a si mesmo. Ele manifesta sua generosidade ao dar sempre ao outro o benefício da dúvida e ao enxergar a grandeza da outra pessoa para além de um determinado vacilo temporário. Um coração Wabi Sabi é generoso na interpretação dos acontecimentos e também no tempo e no investimento gastos para que o relacionamento seja sempre o mais importante, apesar da existência de pontos de vista divergentes.

Uma ida às compras é um ótimo exemplo de algo em que mesmo os casais que têm muito em comum podem ser diametralmente opostos. Você sabia que estudos comprovaram que mulheres e homens têm abordagens radicalmente diferentes no que tange às compras? Enquanto as mulheres tendem a perambular pelo shopping em busca de diversão e descontos, os homens costumam aplicar uma metodologia mais linear: chegar, comprar e dar o fora. De acordo com uma pesquisa desenvolvida pela Escola de Saúde Pública da Universidade do Michigan, o motivo disso se encontra em nossa psicologia evolutiva*. Homens caçam, mulheres colhem. Milhares de anos atrás, as mulheres precisaram desenvolver um senso apurado de discernimento para diferenciar frutas silvestres venenosas das não venenosas. Ao mesmo tempo, os homens planejavam seus ataques de antemão num esforço para conservar energia, e então capturavam sua presa com destreza ensaiada. Essas estratégias opostas ajudaram a consolidar a raça humana, mas quando se trata de uma ida às compras nos dias atuais, é comum que homens e mulheres se metam em um fogo cruzado criado por eles mesmos.

Fazer compras é, para as mulheres, uma experiência ao mesmo tempo social e sensorial (assim como era vasculhar o chão das florestas em busca de nutrientes). A missão de encontrar o vestidinho preto perfeito com a melhor amiga pode ser uma ótima "noite das garotas". Mulheres gostam de procurar bastante até que algo chame sua atenção, sejam roupas, sapatos, bolsas ou acessórios – ainda mais quando encontram boas ofertas. Um dos motivos pelos quais mulheres (eu inclusive) amam fazer compras é que essa atividade combina o uso de todos os nossos sentidos. A maioria dos homens não liga para experiências deliciosas como deslizar a mão nos tecidos (da seda ao cetim, do couro à caxemira), admirar as cores e as estampas e os estilos que estão na moda, sentir o cheiro das novas

---

* D. J. Kruger e D. Byker, "A psicologia por trás dos hábitos evolutivos de coleta de alimentos e sua influência nos comportamentos e nas experiências de consumo". Anais do III Encontro Anual da Sociedade de Psicologia Evolutiva, *Revista de Psicologia Social, Evolutiva e Cultural 3*, nº 4 (2009); pp. 328-42.

fragrâncias e apreciar a sensação de calçar um par de bons sapatos de couro.

Talvez aqueles que sofrem com a paixão de seus companheiros pelas compras – e aqueles que, por outro lado, sofrem com a indiferença de seus parceiros por essa paixão – possam encontrar inspiração na forma com que meu amigo Jerry ocupa seu tempo entre as trocas de roupa de sua esposa na seção feminina da loja de departamentos.

Comprar, rezar e amar

Como muitos dos homens que conheço, Jerry odiava fazer compras. Para sua sorte, sua amada esposa Diane não vai às compras com muita frequência. No entanto, nas raras ocasiões em que decide fazer a ronda das lojas, ela gosta que Jerry esteja com ela.

A princípio, Jerry passava muito tempo olhando o relógio e deixando bem claro que preferia não estar ali. Diane, por sua vez, acabava sentindo-se pressionada a se apressar numa atividade que sempre fora um passatempo agradável para ela. Um dia, enquanto contava os minutos sentado no meio da seção de vestidos, Jerry fechou os olhos e literalmente pediu a Deus que o ajudasse a lidar com uma situação que era insuportável para ele. Quase no mesmo instante, recebeu em sua mente instruções muito claras e específicas: em vez de ficar impaciente esperando o fim da expedição de compras, deveria pegar sua caneta e escrever um poema de amor para Diane. Jerry seguiu seu comando espiritual e, com isso, foi dominado por uma grande sensação de paz. Não só estava se reconectando com o amor que sentia pela esposa como também estava tirando o foco de suas preferências e passando a um estado de gratidão pela vida que eles tinham juntos. Em vez de ficar entediado e inquieto, dedicou-se a descobrir uma maneira diferente de lidar com o próprio processo de fazer compras.

No meio de sua transformação, Diane veio mostrar um vestido que queria comprar e encontrou o marido tranquilo, com um sorriso no rosto. Confusa, mas concentrada em suas compras, ela retornou para experimentar mais roupas. Após um breve intervalo, voltou para ver o marido mais uma vez. Ele ainda estava calmo e sereno. Depois de comprar o que queria, correu para encontrá-lo e levá-lo embora finalmente, antes que a experiência causasse maiores danos. Jerry pediu que ela se sentasse e disse:

— Quero compartilhar uma coisa com você.

Com calma, Jerry leu o belo poema de amor que havia escrito em homenagem à esposa. Ela agradeceu com os olhos marejados, e as portas de seu coração se escancararam. Saíram da loja rindo e de mãos dadas, dentro de uma bolha de amor mais intensa que qualquer euforia após uma tarde de compras.

A história não parou por aí. O momento Wabi Sabi de Jerry beneficiou não apenas a ele e sua esposa: sua epifania também ajudou um completo estranho.

Um dia, Diane estava fazendo compras com sua mãe em uma loja de departamentos. Viu uma jovem mulher examinando as araras com pressa e um moço sentado ali perto com uma cara muito infeliz. Diane se aproximou do jovem e deu um sorriso.

— Horrível, não é? — disse ao moço com ternura.

— É sim — respondeu ele, cabisbaixo, como se não quisesse admitir a agonia em que se encontrava. — Eu odeio isso, de verdade.

— Meu marido também odiava — disse Diane, examinando, por um momento, o rosto do jovem.

— Odiava? Não odeia mais? — perguntou ele, endireitando-se na cadeira.

Diane contou a história de como Jerry odiara fazer compras com ela até o momento em que resolveu dedicar esse tempo a escrever lindos poemas de amor para ela.

O moço escutou com muita atenção sem dizer uma palavra sequer e permaneceu por alguns instantes com um olhar de incerteza. Quando Diane se afastou, torcendo para não ter ido longe demais, o moço levantou-se de um salto e chamou a esposa, a caminho dos provadores com os braços cheios de roupas.

— Querida, você tem uma caneta?

A sabedoria Wabi Sabi por trás dessa história não precisa de muita explicação. Imagine uma situação que você odeia (fazer compras) e que seu desespero é tamanho que tudo o que você pode fazer é rezar... E então suas preces são respondidas de pronto com uma solução simples, mas genial. Nossa intuição nunca falha em nos dar as respostas quando estamos dispostos a ouvir.

Tanto no basquete quanto numa tarde no shopping, aprender a amar (ou ao menos aceitar) a paixão de seu companheiro requer uma mente aberta e um coração generoso. Quando estava apanhando para aprender o básico sobre basquete (uma partida se divide em *sets* ou tempos? Uma cesta vale dois ou vale três pontos?), tive a sorte de encontrar por acaso um livro chamado *Secrets of a Very Good Marriage: Lessons from the Sea [Segredos de um bom casamento: as lições do mar]*, de Sherry Suib Cohen. O relato autobiográfico sincero de Sherry abriu meus olhos para um novo modo de aceitar o esporte preferido de

Brian. Assim como ela aceitou o amor do marido Larry pelo mar, ele também aprendeu a se envolver com o trabalho dela, e ambos me mostraram que desenvolver interesse pela paixão de seu companheiro é um dos segredos para um casamento muito feliz.

Anzol, linha e amor eterno

Ilhas Bermudas. O nome em si já evoca imagens de praias de areia branca banhadas por águas de um azul cristalino, de dias ensolarados que se derretem em noites amenas e céus cravejados de estrelas. O que poderia ser mais romântico? Essa era a previsão de Sherry para sua lua de mel com Larry.

O namoro deles fora doce, apesar de curto, e ambos tinham certeza de terem sido feitos um para o outro. Ele foi arrebatado por ela e disse que soube no momento em que a viu pela primeira vez que eles ficariam juntos. Ela amava o senso de humor gaiato dele, além de sua honestidade e inteligência. Também não era nada mau que ele topasse qualquer parada.

Após o casamento, foram para as Bermudas para uma aguardada lua de mel de muito descanso, tranquilidade e diversão. Mas as coisas não saíram exatamente conforme o previsto, e, em vez disso, eles passaram por uma experiência que mudaria para sempre a trajetória de seu casamento – e de suas vidas.

Depois do casamento outonal em Nova York, eles aterrissaram na ilha paradisíaca, ansiosos para explorar um ao outro e o ambiente. No primeiro dia, Larry sugeriu que eles pegassem um barco a remo para explorar as ilhas que compunham o arquipélago das Bermudas e talvez pescar um pouco. Sherry, que preferia ter os pés fincados na terra firme, nunca estivera em um barco. Quando ele apareceu com aquele barquinho a remo velho e instável, ela teve calafrios. Apesar disso, apaixonada e ansiosa para agradar seu novo marido, Sherry deixou de lado seus temores em relação ao mar e subiu no pequeno bote.

— O dia prometia ser lindo... Só eu, Larry e o mar — lembra Sherry. — Só que, perdidos em nós mesmos e em nossos pensamentos, logo percebemos que também estávamos perdidos no mar!

Para alterar ainda mais os ânimos, o dia (que, no início, estava ensolarado e quente) ficou frio, e o tempo fechou. Sherry lembra que começou a chover:

— Fiquei tentando parecer bem-disposta. Remamos e remamos e, finalmente, depois do que pareceu uma eternidade, conseguimos encontrar o caminho de volta para a praia.

Quando eles saíram aos tropeços do barco, morrendo de frio, molhados até os ossos e exaustos, Larry avistou uma placa no cais que dizia: "Hoje: pesca noturna de anchovas". Refeito de imediato e animado como se tivesse ganhado na loteria, ele disse para sua nova esposa:

— Vamos nos aquecer um pouco, trocar de roupa, e então vamos sair para pescar hoje à noite!

Seu estômago deu um nó. Seu corpo foi inundado pelos piores medos enquanto pensamentos sinistros se sucediam em sua cabeça. Ela não deixaria sua vida terminar em um barquinho de pesca.

"Isso não vai durar", pensou ela. "Ele ficou completamente maluco, pirou na batatinha. Depois do dia que tivemos, qualquer pessoa normal iria querer ficar longe do mar por um bom tempo".

No fim das contas, não foram pescar naquela noite e nem na noite seguinte. Mas Sherry logo começou a entender que Larry tinha uma conexão muito forte com o oceano. Ela não entendia o amor dele pelo mar, mas pensou que, numa outra vida, talvez ele tivesse sido um grande pescador.

— Sou uma mulher muito forte — comentou ela. — Sei como conseguir as coisas do meu jeito, como fazer o que quero e *quando* quero. Mas também soube admitir a importância daquela situação. Soube, com absoluta certeza, que, até o fim de nossas vidas, o oceano estaria *conosco* ou *entre* nós dois. Quando percebi isso, minha escolha ficou clara como água.

A princípio, Sherry via o grande amor de Larry pelo mar como seu maior defeito e uma ameaça em potencial ao relacionamento deles. Mas com o tempo ela passou a respeitar a paixão do marido e a desejar, muitas vezes, que ela própria tivesse uma paixão como aquela. Um dia, teve uma bela epifania ao perceber que havia, sim, algo que ela amava tanto quanto Larry amava o oceano: o próprio Larry! Larry era a grande paixão dela.

— Ele é a pessoa mais inteligente e engraçada que conheço — disse ela. — Amo suas rugas, sua barriguinha saliente, seu jeito de andar meio encurvado. Eu preferia estar sozinha com Larry no meio do oceano a estar em qualquer outro lugar do mundo.

Sherry acabou aprendendo a gostar de ficar no barco, deitada pegando sol, lendo ou escrevendo, mas nunca chegou a amar o oceano como Larry. Lidar com defeitos no maquinário é a experiência de navegação de que ela menos gosta; no entanto, ao longo dos anos, aprendeu até a sangrar o motor quando necessário e a ajudar a navegar em caso de falha nos instrumentos.

Princípio Wabi Sabi

Represente um papel na história da vida de seu companheiro. Quando você se envolve nos interesses dele, você mostra consideração não apenas pela pessoa, mas também por sua paixão.

Larry acredita piamente que um bom casamento requer que um seja personagem ativo na história do outro, não apenas um espectador passivo. Para a sorte de Sherry, Larry faz de tudo para pôr sua filosofia em prática. Quando Sherry está escrevendo um livro ou um artigo para uma revista, Larry a acompanha sempre que possível. Ele já cozinhou com Laura Deen e admirou a coleção de arte de Estée Lauder. Participou até das sessões de resolução de conflitos que foram o cerne de um dos livros da esposa.

— Dessa forma — diz Sherry —, cada um de nós vive uma vida colorida e com muitas camadas. Na verdade, vivemos duas vidas cada um, mas juntos.

Inspirada pela aceitação e apreciação recém-descoberta de Sherry pela pescaria de Larry e pelo engajamento voluntário dele na paixão da esposa por escrever, percebi que seria muito bom para meu casamento se conseguisse encontrar uma maneira de gostar de basquete, ou ao menos de gostar de assistir ao Brian fazendo o que gostava. Estava determinada a me engajar no próximo campeonato de basquete universitário com o maior entusiasmo que pudesse reunir.

Decidi que me sentaria no sofá com Brian para assistir aos últimos 15 minutos de qualquer jogo que ele estivesse assistindo. Ele sempre ficava contente em responder às minhas perguntas de iniciante e nunca perdia a paciência quando eu chamava os períodos de *"sets"*. Era animador ver a criança que há nele se empolgar com a superação dos jogadores. Quando o campeonato universitário acabou, estava ansiosa para ver com ele o último período de cada jogo da NBA a que ele quisesse assistir. Duas outras surpresas inesperadas surgiram da minha nova prática de assistir aos jogos com Brian: primeiro, ele começou a compartilhar comigo mais memórias dos tempos em que jogava basquete universitário, o que fez com que eu o admirasse e o apreciasse de uma maneira totalmente nova; e, segundo, comecei a desenvolver gosto genuíno pelos jogadores e pelo jogo!

Não me entenda errado. Amo Brian com todo o meu coração e a minha alma. Mas tive uma paixonite de fã pelo Avery Johnson, o elegante armador do San Antonio Spurs, no momento em que o vi entrar na quadra, do alto de seus 1,80m. Em pouco tempo ele já era meu jogador preferido da NBA. Não há explicação: fiquei hipnotizada por sua habilidade nas quadras. Meu outro amor era Jason Kidd, do New Jersey Nets. Ver Avery e Jason fazerem o que faziam de melhor me deu duas razões concretas para ver basquete com Brian.

No fim das contas, talvez você nunca chegue a gostar tanto dos interesses de seu companheiro quanto ele, mas pode fazer seu coração crescer, aprendendo a apreciar o que é importante para seu parceiro. Aprendi no Instituto de HeartMath uma forma de me conectar com meu "coração generoso", que consiste em tirar cinco minutos do meu dia e fazer um Heart Lock-In (algo como "concentrar-se no coração"), técnica que me ajuda a dissipar emoções negativas e a me reconectar com meu compromisso de ser uma companheira amorosa e incentivadora.

O coração é o músculo que bombeia o sangue em nosso corpo, que por sua vez transporta o oxigênio essencial à vida. Já se sabe que correr, andar de bicicleta, fazer trilhas e outras atividades aeróbicas são métodos comprovados para fortalecer o coração e melhorar a saúde em longo prazo. Da mesma forma, o Heart Lock-In melhora a força emocional e espiritual do nosso coração – e o melhor é que você não precisa suar a camisa para desfrutar de seus benefícios!

Por 30 anos os visionários do Instituto de HeartMath, em Boulder Creek, Califórnia, estudaram o coração. Sua pesquisa nos oferece evidências encorajadoras de que o coração possui inteligência própria e exerce grande influência no alinhamento dos muitos sistemas do corpo. Os cientistas do HeartMath descobriram que, quando nos concentramos na área ao redor do coração e relembramos o que experimentamos com sentimentos como amor, reconhecimento e gratidão, os resultados positivos podem ser mensurados de imediato no ritmo do nosso coração (variações na frequência cardíaca). Os pesquisadores chamam isso de "coerência do coração", uma condição altamente desejável que melhora nosso bem estar emocional, físico e espiritual.

Usar as técnicas do HeartMath é uma das formas de começar a desenvolver um coração generoso e expansivo. Da mesma forma com que o bíceps responde ao levantamento regular de peso, dedicar algum tempo todos os dias para se concentrar em sentimentos de amor, reconhecimento e gratidão constrói um reservatório dessas boas emoções, o que resulta em mais amor, alegria e harmonia num relacionamento. E sejamos francos, quem não gostaria de mais disso?

EXERCÍCIO:
Fortalecendo seu músculo da generosidade em seu coração (preencha as lacunas)

Qual hobby, paixão ou atividade de seu companheiro você gostaria de aceitar melhor?

Use sua imaginação por um momento e faça a seguinte pergunta a si mesmo: "Se a chave para fazer com que todos os meus sonhos se realizem é encontrar um meio de gostar de ________________, qual seria a maneira mais fácil de conseguir isso?"

Agora descreva cinco ou mais melhorias que ocorreriam em seu relacionamento caso você conseguisse aceitar ou mesmo amar aquilo que seu parceiro ama.

1 ____

____

2 ____

____

3 ____

____

4 ____

____

5 ____

____

Faça o Heart Lock-In e sinta seu coração em um nível mais profundo.

Feche os olhos e respire lentamente. Desloque a atenção de seus pensamentos para a área ao redor do coração.

Lembre-se do amor e da admiração que sente pelo seu companheiro. Concentre-se nesses sentimentos por cinco a quinze minutos e então mande-os para si mesmo e para seu companheiro.

(Para uma experiência mais profunda com o Heart Lock-In, acesse www.wabisabilove.com/audio para baixar uma versão em áudio.)

Com a prática, o Heart Lock-In pode promover regeneração e resiliência física, mental e espiritual, de modo que, da próxima vez que você ficar descontente em relação a algo que seu parceiro ama fazer, você consiga liberar algum espaço para a paixão de seu companheiro com mais facilidade. Desenvolver a generosidade do seu coração também ajudará a desenvolver o amor entre você e seu companheiro.

DOIS

De insuportável a agradável

"Toque os sinos que ainda podem tocar; esqueça sua oferenda perfeita. Em tudo existe uma rachadura; é por ali que entra a luz." — **Leonard Cohen**

Os especialistas aconselham que não nos irritemos com problemas pequenos, mas todos sabemos que as pequenas coisas são capazes de corroer o melhor dos relacionamentos. Antes que as pequenas picuinhas provoquem um Big Bang em nossa parceria, é necessário desenvolver redes de segurança no relacionamento para ajudar no caso de uma queda. Podemos considerar essas estratégias como uma mudança de energia negativa para positiva, por assim dizer. Um dos aspectos-chave do Wabi Sabi é aprender a tirar o foco daquilo que torna nossos companheiros tão irritantes e transferi-lo para aquilo que os torna tão únicos.

O cerne dessa transição é a gratidão, emoção capaz de salvar um casamento, principalmente se você tende a se deixar dominar com facilidade por sentimentos de irritação em relação aos hábitos diários de seu companheiro. Pequenos rituais de gratidão podem ajudar a manter o controle quando ele ou ela fizer aquilo que tanto te irrita – *mais uma vez.*

Uma das minhas preces favoritas vem de *A course in miracles [Um curso em milagres]*:

Aonde Você gostaria de me levar hoje?
O que Você gostaria que eu fizesse?
O que Você gostaria que eu dissesse e para quem?

Por muitos anos, comecei cada dia com essa prece como uma forma de me centrar e buscar orientação divina. Era útil em especial quando eu estava aborrecida ou sem inspiração, ou quando sentia que não estava saindo do lugar. Meu modo de seguir essa prece era fazer uma lista de agradecimentos que muitas vezes se parecia com isto: "Hoje eu agradeço por ter ar fresco para respirar e água limpa para beber, e pelos muitos amigos e parentes que me amam. Agradeço por ter um corpo saudável, uma mente criativa e um trabalho interessante".

Antes de me casar, eu costumava acrescentar a seguinte frase: "E agradeço pela minha alma gêmea, que está no caminho para me encontrar para passar sua vida comigo".

Até aí, tudo bem. E então eu me casei e minhas preces mudaram:

"Querido Deus,

Por favor, me ajude. Casei com um homem que se recusa a atender o telefone, mas é capaz de vir do outro lado da sala e me entregar o aparelho para que eu o atenda."

Tudo bem. Estou exagerando um pouquinho, mas como todos os casais, tanto eu quanto Brian tínhamos particularidades e comportamentos estranhos que tivemos que aprender a amar e aceitar.

Acreditando ou não num ser superior, preces diárias de agradecimento pela pessoa que se ama (incluindo seus defeitos) ajudarão a manter a mente aberta e o coração receptivo ao processo de lembrar o quão grande é o seu amor. Pois as *rachaduras* em nossos companheiros são aquilo de que mais sentiremos falta um dia.

A história da Sra. Lee

A sala fria e tranquila transbordava de rostos enlutados de amigos e familiares, quando o diretor do funeral convidou a Sra. Lee para dizer algumas palavras*. A viúva, uma mulher pequena e elegante, dirigiu-se lentamente à frente da pequena capela. Tranquila, deu início ao seu discurso fúnebre.

— Não vou cobrir de elogios meu finado marido. Hoje não. Também não vou falar sobre o quão bom ele era — disse a sra. Lee, com um brilho no olhar.

— Outras pessoas já falaram o suficiente sobre tudo isso. — Ela respirou fundo, deixando que o ar enchesse seus pulmões antes de continuar: — Ao invés disso, quero falar sobre algumas coisas que deixarão alguns de vocês muito desconfortáveis.

Várias pessoas pararam de se abanar e se empertigaram em suas cadeiras.

* Essa história é baseada em um vídeo retirado do YouTube que pode ser visto em www.wabisabilove.com/video. Não foi possível determinar se ele era baseado em uma pessoa real ou não. A sinceridade nas palavras da sra. Lee, no entanto, torna menos importante saber se é fato ou ficção.

— Primeiro, quero falar do que acontecia na cama — disse ela, e fez uma pausa dramática, passando o peso do corpo de uma perna para a outra. Um corvo crocitou do lado de fora da capela. Através da janela, ela viu o animal pousado em uma árvore próxima.

— Vocês já tiveram dificuldades em ligar o motor do carro pela manhã? — Ela esquadrinhou com cuidado os rostos à sua volta. Com um som alto e áspero, ela soltou um ronco e estremeceu, chacoalhando o corpo pequeno, e então disse:

— Pois era exatamente assim o ronco de David.

Alguém riu no meio da sala.

— Mas esperem — continuou ela. — Não era só o ronco.

Alguns pares de pés nervosos se mexeram embaixo das cadeiras.

— Tinha também a atividade de ventos traseiros. Algumas noites, eles eram tão fortes que chegavam a acordá-lo.

Uma criança abafou uma risada, e sua mãe, com o rosto muito vermelho, continha o riso.

A sra. Lee continuou:

— Então ele perguntava: "O que foi isso?". "Foi só o cachorro", respondia eu, e com uns tapinhas nas costas e uma ajeitada nas cobertas, eu o botava para dormir de novo.

Tocou os cabelos, como se estivesse se lembrando da sensação de suas mãos no corpo do marido.

— Pode parecer engraçado para vocês — disse ela, com um sorriso leve como um sussurro. Suas mãos apertavam com força o programa do funeral e ela molhou os lábios secos. — Mas no auge da doença dele, esses sons me confortavam e me provavam que o meu David ainda estava vivo.

O silêncio inundou a sala. Até os pássaros lá fora pareciam estar escutando.

A Sra. Lee olhou para os céus, e sua voz começou a falhar:

— Daria tudo para ouvir esses sons mais uma vez antes de adormecer.

Uma única lágrima percorreu seu rosto e pousou silenciosamente em sua lapela.

— No fim, são dessas pequenas coisas que você se lembra, as pequenas imperfeições que fazem com que eles sejam perfeitos para você. Assim, meus lindos filhos — disse ela, voltando os olhos para seus filhos na primeira fila —, espero que um dia vocês também encontrem companheiros de vida tão lindamente imperfeitos quanto o seu pai era para mim.

O tributo eloquente da Sra. Lee para seu marido deixou os ouvintes em prantos. Com apenas algumas palavras sinceras, resumiu o mistério e a mágica do casamento que dura uma vida inteira, construído sobre fundações de amor, imperfeição e aceitação sem limites.

O amor Wabi Sabi tem seus alicerces na aceitação. A prática de aceitar os defeitos, as imperfeições e as limitações – bem como os presentes e as bênçãos – é o que constrói a história conjunta de um casal. A aceitação e sua contraparte, a compreensão, são cruciais para que exista harmonia em um relacionamento.

Isso é o amor sagrado, não uma paixão passageira ou o amor de conveniência. E se descobríssemos que o amor romântico não deveria ser perfeito, e sim nos conduzir a essa mais nobre forma de amar? E se, na verdade, o amor entre almas gêmeas, do tipo feitos-um-para-o-outro, existisse para nos levar a compreender o amor Wabi Sabi, conforme aconteceu com a Sra. Lee?

Você pode imaginar como seria um mundo em que a premissa primordial do amor romântico e da intimidade profunda fosse baseada na arte de amar as imperfeições uns dos outros, ao invés da ilusão fantasiosa de que um relacionamento será maravilhoso apenas quando cada um passar a agir perfeitamente e a se comportar de uma forma que seja aceitável para o outro? Imagine um mundo em que a imperfeição seja vista como normal e seja até mesmo celebrada.

Será que as taxas de divórcio cairiam? Será que o amor que nos uniu a nossos companheiros mudaria a própria forma com que nos relacionamos com eles? Será que esse novo conjunto de valores resultaria em uma sequência evolutiva em direção a um amor tão perfeitamente imperfeito que nos faria apreciar aquelas mesmas coisas que nos deixavam malucos?

Todos que atingiram o nível mais alto do amor Wabi Sabi entendem que só há uma única forma de fazer isso: explorar, aceitar e efetivamente se apaixonar pelas rachaduras nos outros e em nós mesmos.

Às vezes a rachadura é simples, mas persistente como um dia de cabelo ruim, uma imperfeição com a qual um casal precisou aprender a conviver.

A conquista da cabeleira indomável

De acordo com Jan, esposa de Fred há 25 anos, o cabelo de seu marido é, em uma palavra, incontrolável. De cor castanha, ele é ondulado, encaracolado e muito assimétrico, fazendo pontas dos dois lados da cabeça.

— É como se os lados da cabeça dele tivessem diferentes personalidades — declara Jan. — O cabelo é tão indomável que nem um corte profissional de trezentos dólares conseguiu dar jeito.

O mais engraçado é que Fred não tem a menor vaidade no que diz respeito à sua aparência. Antes de conhecer Jan, houve caso de Fred comprar óculos de grau sem sequer experimentá-los.

— Amo meu marido — diz Jan. — Nunca conheci ninguém menos preocupado com a aparência que ele.

A atitude dele não podia ser mais diferente do que ela aprendera quando criança. Jan cresceu com um pai muito rigoroso quando se tratava de asseio e aparência, e ela tomou a decisão consciente de não ser "filha de seu pai" nesse aspecto. Não usa maquiagem ou salto alto e gosta de ter sempre a aparência mais *au naturel* possível. Essa é uma característica que ela e Fred compartilham; seu marido, no entanto, parece levar a noção de *au naturel* a níveis mais extremos que ela.

— Eu me visto sem qualquer cuidado — admite Fred. — Mal penteio o cabelo e estou quase sempre com meu uniforme: calça de moletom e uma camiseta por baixo de uma camisa de flanela.

Fred é um conceituado professor de psicologia, autor de *best-sellers* e palestrante, e trabalha em seu escritório, em casa.

— Já faz anos que a minha esposa penteia meu cabelo, principalmente quando tenho uma palestra para dar. Ela fica irritada quando saio mal-ajambrado de casa. Quando pareço mais desleixado do que de costume, ela faz a maior cara de desaprovação — diz ele, referindo-se ao olhar furioso da esposa que o deixa tenso até os cabelos. Em determinadas ocasiões, Jan jura que vê se encolherem de medo enquanto ela os ataca por todos os lados.

Por muito tempo, Fred mal tolerava que sua esposa prestasse tanta atenção aos cabelos selvagens em sua cabeça. Dizia: "Me deixe em paz!", enquanto ela passava pente, escova ou gel em seu cabelo, ou tentava subjugá-lo com um corte.

— Em uma operação infiltrada e furtiva, Jan chegou mesmo a "plantar" a escova de cabelo na primeira gaveta da minha mesa no escritório — disse Fred —, de modo que estivesse à mão sempre que ela quisesse dar um jeito no meu cabelo. Até então, a escova vivera feliz no banheiro por anos.

Fred fez muitas tentativas de conviver em paz com a fixação infinita de sua esposa por sua cabeleira indomável, mas percebeu, com o tempo, que se aborrecer era inútil. Amava a esposa e sabia que suas intenções eram amorosas e puras. Ela só pensava, de fato, no bem dele.

— Ambos nos esforçamos muito para estar presentes e conectados em nosso casamento — explica Fred. — Acabei compreendendo que ela não ia mudar. Foi uma luta e uma bênção ao mesmo tempo, mas consegui passar de "Como ela se atreve?" para "Como ela se preocupa!". Percebi que ninguém se importa tanto comigo quanto ela e que a escova de cabelo representa seu amor por mim.

Agora, quando Jan faz menção de pegar a escova, Fred não a rechaça mais. Ao invés disso, ele se permite sentir o carinho incondicional neste simples ato de amor. Na maioria das vezes ele até agradece à sua esposa por sua devoção e cuidado.

Quanto a Jan, ela também atingiu seu próprio patamar de aceitação:

— Estou de bem, por fim, com o total desinteresse dele em sua aparência. Na verdade, acabei até aprendendo a respeitar o quão autêntico ele é.

A escova ficou na gaveta do escritório, e não há motivos para não ficar lá. Fred e Jan sabem que seu amor só fez aumentar por causa dessa questão que já foi tão cabeluda e que ia muito além do visual de Fred.

Nem todo mundo é tão despreocupado com a aparência quanto Fred, mas gosto de ver que, por fim, ele compreendeu que os esforços de Jan para deixá-lo mais apresentável em suas aparições públicas eram uma manifestação de seu amor por ele.

Muitos anos atrás, tive meu próprio "momento Fred" com um antigo namorado que ia trabalhar todos os dias de terno e gravata elegantes. Numa manhã, vi uma poeirinha no ombro dele, então estendi a mão casualmente para espaná-la. Pela reação dele, parecia que eu estava ameaçando tascar-lhe uma bofetada! Ele se esquivou e me lançou um olhar atravessado, e eu logo comecei a explicar que só queria limpar uma sujeirinha em seu ombro. Ele rosnou como o Incrível Hulk e disse com frieza:

— Nunca. Mais. Faça. Isso.

Eu perdi alguma coisa aqui? Fiquei perplexa com a reação dele, um cara muito doce e carinhoso até então, mas que, com um simples movimento do meu pulso (literalmente), se transmutou em um completo idiota. Quanto perguntei o porquê de sua atitude defensiva, ele admitiu que sua mãe o "cutucava" o tempo todo e que ele não suportava isso. Fim da história. Era um homem de quarenta anos agindo como se tivesse quatorze, e que se recusava a discutir a questão. Para minha sorte, terminamos pouco depois do incidente, mas aprendi uma importante lição que permanece comigo até hoje: nem sempre é fácil ver beleza e perfeição em comportamentos que nos deixam malucos.

Princípio Wabi Sabi

O amor pode transformar em traços positivos os aspectos negativos de uma pessoa, desde que você os encare como parte de um todo. Uma lista de agradecimentos ajuda a ver um panorama geral ao invés de dar muita atenção aos detalhes.

Outro casal de amigos conseguiu transformar algo negativo em positivo ao aprender a ver suas idiossincrasias como parte de seu DNA conjugal.

Rir é o melhor remédio – na vida e no amor

— Combinamos tão bem quanto água e azeite — disse Deb, rindo. Ela, uma bela expatriada descendente da linhagem real britânica, é esposa de Ed, que vem de uma família de trabalhadores do Bronx. Embora um seja o oposto do outro em muitos aspectos, estão casados e felizes há 24 anos.

Seu objetivo maior e primordial é serem amigos. Eles já aprenderam a superar e deixar para trás qualquer desentendimento ocasional que possa acontecer.

— Estamos sempre em sintonia — explica Ed. — Quando um de nós resolve insistir em uma desavença, o outro simplesmente diz: "Já faz mais de uma hora que deixei isso para lá". Esse é nosso código para "Vamos seguir em frente".

Nos últimos vinte anos, no entanto, Deb acabou frustrada com algo que Ed faz quase todo dia.

Ed é o tipo de cara amável, amistoso e extrovertido que faz amigos com facilidade. Na verdade, ele conversa com quase todo mundo que cruza seu caminho, e enquanto muitas pessoas acham esse atributo ótimo, ele às vezes acaba por dificultar a vida de Deb:

— Ed é muito bom em contar piadas, e ele adora compartilhá-las com quase todo mundo que encontra, principalmente crianças. As piadas são ótimas da primeira vez, mas eu sempre acabo esperando que ele termine de entreter completos estranhos e espectadores inocentes de todas as idades e tamanhos. Depois de ouvir as mesmas piadas centenas, milhares de vezes, elas ficam bem irritantes.

Não faz muito tempo, Ed e Deb estavam na fila do banco quando ele puxou conversa com uma menininha que estava atrás deles, segurando a mão da mãe. Tinha uns seis anos e estava com um vestidinho amarelo. Ed cumprimentou a mãe, trocou amenidades e então ajoelhou-se perto da menina e disse:

— Qual é o cúmulo da paciência?

A menininha, mexendo timidamente nas dobras da saia da mãe, respondeu:

— Não sei... — Ao que Ed respondeu:

— Contar os degraus de uma escada rolante!

A menina, sua mãe e todos em volta riram alto.

Deb, que não achou nenhuma graça, percebeu que havia um caixa livre e cutucou Ed para que ele se despedisse e eles fossem, enfim, cuidar de seus negócios. Deb se dirigiu ao caixa, mas Ed achou que dava tempo para só mais uma piada:

— Qual é o cúmulo da lerdeza? — Ele fez uma pausa dramática e continuou: — Apostar corrida consigo mesmo e chegar em segundo lugar.

Deb sentiu a familiar frustração subindo como um arrepio pela espinha. Respirou fundo e aliviou a força com que apertava a papelada em suas mãos.

Depois do banco, foram à feira local para comprar vegetais orgânicos para uma salada que Deb queria fazer para o almoço. Ela tentou aliviar a irritação respirando fundo mais um pouco, e enquanto ela escolhia alguns produtos, o ar fresco e o colorido dos vegetais a ajudaram a se acalmar. Perto de uma banca de legumes, viram um menino sentado no meio-fio. Era óbvio que ele estava muito entediado porque ninguém estava dando atenção a ele. Ed foi até o menino e sentou-se do lado dele, enquanto Deb observava.

— Você parece um menino muito esperto — disse Ed. — Sabe como faz para passar um elefante por debaixo da porta?

O menino sacodiu a cabeça, e Ed respondeu:

— Põe o elefante dentro de um envelope!

O menininho fez uma cara interrogativa e franziu as sobrancelhas, e parecia tentar decidir se gostava ou não de Ed – que, disposto a não desistir e arrancar uma risada do menino, disse:

— E se o elefante não passar por debaixo da porta?

Olhando Ed com interesse, o menino inclinou a cabeça para o lado enquanto esperava a resposta.

— É só tirar o selo do envelope.

O menino explodiu em risos. Com seu gesto gentil, Ed fez com que o menino entediado se divertisse. Naquele momento, a mãe do menino, agitada e meio sem fôlego, aproximou-se deles com uma sacola cheia de verduras. Antes que Ed pudesse se apresentar, o menino fez as honras:

— Mamãe, esse é o Sr. Piada. Ele é muito engraçado!

A mãe sorriu agradecida para Ed e pegou o filho pela mão para ir embora. Com a mão livre, o menininho deu tchau, e eles desapareceram na multidão.

Aquilo conquistou Deb.

— Naquele momento — disse ela —, eu percebi que essa é a natureza essencial de Ed. Tudo o que ele quer é usar seu dom especial para deixar as pessoas felizes. Finalmente percebi que me deixar irritada não era seu objetivo. Quando vi o rosto do menino se abrir em um sorriso, entendi que Ed *realmente* deixa as pessoas felizes. Naquele dia, ele não deu um presente apenas ao menino, mas a mim também.

A particularidade de seu parceiro pode passar de "insuportável" para "agradável" com apenas uma pequena mudança de ponto de vista, de acordo com o Wabi Sabi. Imagine como nossos relacionamentos poderiam ser mais divertidos e ricos se a cada vez que achássemos algo "insuportável", adotássemos a prática pessoal de parar por um momento, respirar fundo e nos perguntássemos se estaríamos *dispostos* a pensar que isso é "agradável". O simples ato de estar *disposto* pode levar a um novo mundo de possibilidades.

Por exemplo, no mundo de Brian, estar na hora significa chegar dez minutos mais cedo, algo que ele aprendeu em seus anos de atleta, quando treinadores tinham tolerância zero para atrasos. No meu mundo, estar na hora é quando eu não chego mais que cinco minutos atrasada. Essa diferença de quinze minutos já causou muitos momentos de tensão no começo do nosso relacionamento. Um dia, quando estávamos nos aprontando para ir ao aeroporto e sair de viagem, percebi que a mala de Brian estava perto da porta de casa e ele assistia TV calmamente na sala, enquanto eu me maquiava no banheiro, com pressa, estressada e suando. Percebi que se tivesse começado a me arrumar alguns minutos mais cedo, estaria muito mais feliz e relaxada e que meu cabelo não estaria todo arrepiado por causa do suor.

Por sorte, Brian já aceitou minha tendência a deixar tudo para o último minuto, assim como eu já aprendi a apreciar a abordagem mais plácida e planejada dele. Qualquer um de nós poderia ter criticado o outro por seu estilo diferente, mas ambos escolhemos encarar essa diferença como uma pequena parte de um pacote que é ótimo em sua totalidade.

Todos sabem que são as pequenas coisas que se somam e viram O Grande Problema que pode destruir um relacionamento. Estar aberto a aceitar até a discrepância mais estranha é o que forja relações baseadas em amor incondicional; e quem se importa se o chão da cozinha sofrer um pouco nesse processo?

Aprendendo lições de amor com o chão da cozinha

Diane amava Jerry com todo o coração, mas todos os dias ela deparava com uma característica dele que tinha muita dificuldade em aceitar: ele ama *bagels* com semente de papoula. Desde a infância, Jerry é apaixonado pela iguaria e a devora com entusiasmo quase todo dia. Jerry corta e torra o *bagel* e então vai apreciar o lanche em seu escritório.

Mas como João no conto de fadas, Jerry sempre deixa uma trilha de sementes de papoula que se espalha pelo chão branco da cozinha, atravessa o meio da casa e termina no escritório. Jerry sabe bem que é um pouco "porquinho", e embora ele costume se esforçar para limpar as sementes do chão, suas habilidades de limpeza nunca estão à altura do desejo de Diane por um chão impecável.

Num dia em que Diane estava atipicamente rabugenta, seu nível de irritação foi multiplicado por cem quando entrou na cozinha e percebeu que, mais uma vez, estava quase que nadando em um mar de sementes de papoula.

Como havia feito milhares de vezes antes, ela umedeceu um pano, se abaixou e se pôs a limpar as sementes espalhadas.

"Ao menos uma vez, eu queria entrar na cozinha e não ver essas sementes" pensou, bufando e esfregando o chão com força até que ele ficasse do jeito que ela queria.

Sentada sobre os calcanhares, um pensamento passou por sua cabeça em meio à frustração: "E se nunca mais houvesse sementes de papoula no chão?"

Como se atingida por um raio, Diane de repente percebeu: "Então também não haveria mais Jerry!"

Levantou-se com os olhos marejados e deixou o olhar percorrer as sementes que salpicavam o chão. Elas deixaram de parecer grãos de areia cinza e de repente ficaram maravilhosas aos olhos de Diane – pequenos diamantes negros que representavam tudo o que era precioso e sagrado em sua vida. Correu para o escritório de Jerry, abraçou o marido e o beijou com os olhos cheios de lágrimas de felicidade. Ele a olhou com uma expressão curiosa, mas amorosa, comeu o último pedacinho de *bagel* de semente de papoula e sacodiu as sementinhas da camisa para o chão.

Hoje ela explica:

— Agora, não importa quantas sementes eu tenha que limpar, estou em paz por dentro. Sempre que vejo as sementinhas de papoula, elas me enchem de amor e gratidão; algumas vezes, eu ignoro de propósito tanto as sementes quanto o meu antigo comportamento compulsivo e sorrio ao girar nos calcanhares e ir embora.

Todos temos nossa maneira particular de reagir à vida. Aprender a maneira de nossos companheiros requer atenção à forma com que eles tomam decisões e respondem aos desafios. É provável que seu companheiro não aja exatamente como você agiria (mas quem disse que o seu modo é o único modo correto?), então sugiro que recite sempre para si mesmo a oração de um relacionamento Wabi Sabi. É a Oração da Serenidade:

"Deus, concedei-me a serenidade necessária para aceitar as coisas que não posso modificar, coragem para modificar aquelas que posso e sabedoria para distinguir umas das outras."

O que quer que lhe irrite em seu companheiro (seja seu cabelo rebelde, suas piadas ruins ou suas sementes de papoula), lembre-se da oração de um relacionamento Wabi Sabi antes de espumar de raiva. Pensando nisso, tente este exercício simples para testar sua habilidade de transformar o "insuportável em agradável".

EXERCÍCIO:
Aprendendo a transformar o insuportável em agradável

A mudança de perspectiva exige apenas que você perceba que tem o poder de enxergar o comportamento de seu parceiro através de lentes novas, mais gentis e compreensivas. Quando estamos irritados, é comum adotarmos a postura de senhores da razão. Acreditamos que nossa maneira é a maneira *correta* e que a de nosso parceiro é *errada* – um método garantido para que o estresse e a tensão invadam nosso relacionamento.

PARTE UM: Escolha um dos comportamentos de seu companheiro que tirem você do sério.

(Exemplo: minha esposa me critica ou meu marido me contradiz quando repreendo nossos filhos.)

Descreva entre cinco e dez situações em que esse comportamento ocorreu.

1 ______________________________

2 ______________________________

3 ______________________________

4 ______________________________

5 ______________________________

6 ______________________________

7 ______________________________

8 ______________________________

9 ______________________________

10 ______________________________

Responda às seguintes perguntas:

Quantas vezes mais eu estou disposto (a) a deixar que essa situação me aborreça? ______________________

O que ganho ao ver os defeitos do (a) meu (minha) companheiro (a)? ______________________

O que perco ao ficar irritado (a)? ______________________

Onde aprendi a ficar irritado (a) com o comportamento dos outros? ______________________________

PARTE DOIS: Imagine que o hábito irritante de seu (sua) companheiro (a) existe unicamente para ensiná-lo (a) a ter mais amor e compaixão e escreva três coisas positivas sobre esse comportamento.

1 ____

2 ____

3 ____

Procurar esses traços positivos é uma habilidade inestimável num mundo em que não podemos controlar o comportamento das pessoas. Nossos companheiros podem nunca mudar as idiossincrasias e peculiaridades que nos deixam loucos, mas nós podemos mudar a forma como enxergamos seus traços.

Deb aprendeu que a necessidade que Ed sente de compartilhar seu humor traz mais alegria ao mundo e a ela própria. Fred finalmente entendeu que a preocupação de Jan com o cabelo dele era uma expressão sincera de amor e cuidado. Para Diane, o hábito diário de Jerry de largar uma trilha de sementes de papoula pelo chão tornou-se um símbolo de seu amor e seu afeto profundo pelo marido, e de sua abençoada presença na vida dela. Com a mudança de pensamento, essas pessoas transformaram insuportável em agradável e encontraram a felicidade!

Se você tem dificuldades em encontrar a felicidade, saiba que você sempre tem escolha – na verdade, quando se trata de desenvolver o amor Wabi Sabi, o poder de escolha é seu maior aliado.

TRÊS

Escolhas Wabi Sabi

"Desde o dia em que minha casa foi destruída por um incêndio, vejo melhor a lua." — **Gregory Colbert**

Havia um comercial de TV que mostrava várias pessoas fazendo más escolhas alimentares e depois, dando um tapa na testa, exclamavam: "Eu devia ter usado adoçante em vez de açúcar no cafezinho!". Faz muito tempo que não vejo essa propaganda, mas ainda lembro dela quando preciso tomar decisões no dia a dia. Somos criaturas de hábito e agimos com frequência no piloto automático, de acordo com padrões que foram inseridos em nós pelo nosso meio e pela nossa cultura, e acabamos esquecendo que temos poder de escolha. Rotinas podem se enraizar em nós e, a não ser que estejamos dispostos a pensar de modo mais flexível, podemos nos ver presos a essas rotinas por anos.

Nancy, de oito anos, estava ajudando sua mãe a preparar a carne assada para o almoço de domingo. Desde que Nancy podia se lembrar, a carne assada aos domingos fora uma tradição familiar.

— Mamãe, por que você corta as duas pontas da carne antes de pôr na forma? — perguntou Nancy.

A mãe pensou por alguns instantes e respondeu:

— Era assim que a sua avó sempre fazia, mas eu não sei por quê.

Alguns minutos depois a campainha tocou, anunciando a chegada da vovó e do vovô. Nancy correu para abrir a porta, animada, e logo pegou a avó pela mão e a arrastou para a cozinha.

— Vovó, por que você corta as duas pontas da carne assada antes de colocá-la na forma?

A avó se sentou, tentando lembrar. Por fim, disse:

— Foi assim que a minha mãe me ensinou a preparar carne assada. Vamos ligar para ela e perguntar.

Nancy e a avó ligaram para a casa de repouso em que morava a bisavó para falar com ela. Quando perguntaram, a bisavó começou a rir e disse:

— Eu precisava cortar as duas pontas da carne para fazer caber na única forma que tinha!

Como somos criaturas de hábito, é comum que façamos coisas da mesma forma que sempre fizemos, acreditando que nossa maneira é a correta. Então conhecemos e nos casamos com pessoas que cresceram com hábitos e comportamentos diferentes e que também acreditam que sua maneira é a correta. É aí que começa o problema. Carregamos conosco nossas certezas, ilusões e lembranças quando nos casamos, e nosso radar para "forma certa" e "forma errada" fica ligado no máximo. Temos opiniões a respeito de tudo, desde a forma de pôr o papel higiênico no suporte até limpar a cozinha enquanto cozinhamos ou deixar para cuidar da bagunça depois. Um de nós acredita que quanto mais eletrodomésticos na bancada da cozinha, melhor, enquanto o outro acha que a bancada tem que estar o mais limpa e livre possível. Uns acham que dá para usar uma toalha por uns cinco dias, outros insistem em pegar uma toalha limpa a cada banho – e é melhor nem entrar no mérito de largar a toalha molhada no chão perto do cesto de roupa suja.

O mais curioso é que a maioria de nós nunca percebeu que temos a habilidade de questionar nossas crenças e nossos hábitos. Nós, seres humanos, possuímos a magnífica capacidade que chamamos de escolha. A qualquer momento, podemos decidir fazer novas escolhas a respeito de nossas certezas, nossos hábitos e nossa forma de fazer determinadas coisas, mas, em vez de exercitar o poder de escolha, muitos colocam a culpa em seus companheiros e passam rapidamente ao modo de julgamento, crítica e ressentimento.

Existe uma solução fácil para essa questão. Da próxima vez que você estiver prestes a pôr a culpa em seu parceiro, faça três perguntas a si mesmo: por que acho que ele está errado? Quando passei a pensar assim? O que acontecerá se eu ceder (a respeito de meu parceiro estar errado) e apenas deixar o assunto morrer?

O antídoto ao “deverismo” sobre seu companheiro

Eles se conheceram em um coquetel de autógrafos na UCLA trinta anos atrás. Barnet foi arrebatado de cara pela beleza, força e intensidade de Sandi, e apesar de ter ido ao evento com outra pessoa, ela ficou interessada na personalidade, no intelecto e no charme dele.

— Peguei o telefone dela na hora, levei-a para jantar no dia seguinte, fiquei com ela à noite e nunca mais fui embora — relembra ele.

Dois dias depois do encontro, ouviu uma voz em sua cabeça: "Não fique de brincadeira com esta mulher. Não aja como você sempre age". Apesar de sua reputação de mulherengo, Barnet fez um juramento silencioso para si mesmo de que jamais faria algo conscientemente que machucasse a mulher que o conquistara de primeira.

Casaram-se um ano e meio depois e, em oito anos, tinham uma filha, um cão e uma casa em Studio City, na Califórnia. Barnet, roteirista e cineasta, trabalhava em casa, enquanto Sandi prosperava cada vez mais como especialista na indústria da moda. O trabalho dela era, muitas vezes, complexo, estressante e exigente.

Apesar de seu grande comprometimento um com o outro, eles tiveram sua cota de discussões e de ânimos alterados.

— Mesmo assim, sempre nos interessamos em explorar temas como crescimento pessoal e cuidados alternativos com a saúde — explica Sandi. — Logo cedo, aprendemos a meditar, prática que víamos como um caminho espiritual e uma ferramenta para a saúde.

Por ironia do destino, a meditação também se tornou o primeiro motivo de brigas frequentes do casal. A situação era mais ou menos esta: era comum que Sandi chegasse em casa mais tarde do que o esperado (graças ao famigerado trânsito de Los Angeles), estressada por causa de um dia difícil no trabalho. Chegava cansada, irritada e precisando de um chamego. Agitada e aborrecida, Sandi começava a desabafar sobre seu péssimo dia com Barnet. Já armado e preparado, ele assumia uma postura ofensiva, com o pé esquerdo na frente e a mão direita na cintura, e respondia com uma voz autoritária, cheio de razão:

— Mas Sandi... Você meditou hoje?

Sandi ficava furiosa e rebatia com sua resposta padrão:

— Não tenho tempo para meditar. *Você* trabalha em casa e pode meditar o dia inteiro se quiser. Eu tenho um escritório para ir!

Era assim que começava, e o quadro logo evoluía para a velha situação desagradável em que Barnet tentava resolver os problemas dela, e ela achava que ele estava longe de entendê-los. Ela ficava ressentida com a atitude de dono da verdade do marido, e ele se magoava porque ela ignorava seus bons conselhos. Barnet relembra que, toda vez que ele tentava destacar os benefícios da meditação na redução do estresse, só o que ela parecia ouvir era a palavra *estresse* e sua reação era cerrar os punhos ao lado do corpo e ficar vermelha de raiva. Ele explica:

— Naquela época, quando Sandi não estava "bem", eu sempre tentava consertar o que estivesse errado. Para mim, era lógico que, se ela tirasse algum tempo para meditar, não viveria tão estressada. É claro que, no fundo, havia minha própria insegurança e meu medo de que a culpa fosse minha por não conseguir fazê-la feliz.

O que Sandi queria, na verdade, era chegar em casa e encontrar um homem que a acalentasse, ouvisse com atenção e a deixasse descarregar as frustrações do dia sem que ela se sentisse inadequada com isso. Eles descobriram, com muito trabalho, que suas brigas eram causadas por visões conflitantes sobre o que significava ser um casal.

Agora, quando Sandi chega em casa depois de um dia daqueles (que, hoje, são menos frequentes), Barnet se imbui de compreensão, pois sabe que o que ela quer é ser ouvida, e não ouvir a solução para seus problemas.

E nos dias em que Barnet tem uma recaída e volta à postura ofensiva, com o pé esquerdo na frente e a mão direita na cintura, e à voz autoritária, cheia de razão, Sandi o confronta com uma postura ofensiva, com o pé esquerdo na frente e a mão direita na cintura, e uma voz autoritária, cheia de razão. É o que eles chamam de "A Pose", que se tornou o código deles para reconhecer que alguns comportamentos ultrapassados e ineficazes estão voltando à tona e precisam ser contidos.

— A energia muda por completo, e nós só rimos e rimos... de nós mesmos, um do outro... e sem qualquer esforço seguimos em frente, rumo a algo mais divertido — diz Sandi. — Diversão é o que não falta agora.

Princípio Wabi Sabi

Ser um casal Wabi Sabi implica em dar e receber, não apenas descarregar e desabafar.

Como fica claro nessa história, a comunicação Wabi Sabi nem sempre é feita através de palavras. Já percebeu o que acontece com o seu corpo quando você tenta ser agradável, mas por dentro está soltando fogo pelas ventas? Ou quando você tenta controlar sua raiva, mas percebe que a sua linguagem corporal revela mais do que qualquer palavra?

Barnet e Sandi encontraram uma forma simples, porém genial, de comunicação não verbal rápida e profunda. Este é o tipo de conexão que faz com que estejamos em comunhão um com o outro. Quer percebamos ou não, entendemos de maneira intuitiva as deixas não verbais que recebemos de nossos parceiros. Cabe a nós a escolha de prestar atenção à real mensagem por trás das palavras e fazer o que Brian chama de "cuidar em um nível profundo".

As escolhas que fazemos têm impacto em nosso relacionamento. Desde a forma com que falamos e nos comunicamos com nossos corpos até o que decidimos aceitar ou deixar para lá, as escolhas estão no centro de tudo o que fazemos. O filósofo alemão Rainer Maria Rilke disse: "O bom casamento é aquele em que um nomeia o outro guardião de sua solidão, demonstrando assim a maior confiança que se pode ter". Às vezes precisamos percorrer um longo caminho antes de superar nossos medos infantis e criar essa "maior confiança que se pode ter", como fez minha amiga Robin.

Wabi Sabi ou guerra

Filha de mãe solteira, Robin sabia dizer se as coisas estavam indo bem ou não apenas pelo estado da cozinha. Se estivesse limpa, estava tudo bem. Se estivesse suja (às vezes com grandes pilhas de louça acumulada), sua mãe não estava bem – e isso significava que as coisas iam mal para todo mundo.

Assim, quando Robin se tornou mãe solteira, foi apenas natural que a limpeza da cozinha fosse sua maior prioridade. Assim que pôde, mudou-se para uma bonita casa com vista para o mar, paredes brancas, janelas grandes e uma cozinha ampla e aberta. Os filhos moravam com ela semana sim, semana não, e apesar de tudo ficar um pouco mais bagunçado na "semana das crianças", nunca, *jamais* havia pilhas de louça suja na pia. Quando as crianças iam embora, ela limpava a casa de uma ponta à outra. Sua casa refletia seu estado de espírito preferido: simples, elegante e com uma brisa agradável. Ela se sentia livre e leve.

Quando seu amado Brian foi morar com ela, foi o inferno na terra. Os dois filhos dela voltaram a viver lá em tempo integral, junto com um cachorro. Para completar, os filhos de Brian, que estavam na faculdade, sempre apareciam de visita, trazendo amigos a tiracolo. Brian vivera boa parte da vida em West Virginia, numa casa no campo: o aquecimento vinha de um forno a lenha e ele precisava dirigir uns 5km até a estrada asfaltada mais próxima. Assim sendo, a mobília que ele trouxe consigo era bastante Wabi Sabi – incluindo uma antiga mesa de jantar que pertencera a seus pais (e substituiu o conjunto de sala de jantar de Robin, de vidro e metal), uma mesa de centro grande demais que ele tinha desde sua juventude, quando morava em Bogotá, na Colômbia, e muitas fotos ornadas por molduras de madeira que não combinavam entre si. Até mesmo a garagem, que antes não abrigava nada além do carro de mãe solteira de Robin, passou a conter tudo o que um silvicultor profissional, entusiasta da vida ao ar livre e jardineiro orgânico poderia precisar. Sempre que ela via os caiaques, os baldes de fertilizante e o defumador, não podia deixar de sorrir. Sabia que tinha uma escolha a fazer: era Wabi Sabi ou era guerra.

O maior desafio, é claro, foi a cozinha. Brian é entusiasta da culinária orgânica, e quase um gourmet, e tomou posse da cozinha assim que se mudou. Da noite para o dia, havia jarros de conserva no lugar de copos e toda sorte de estranhos potes desaparelhados no balcão de temperos. Ele comprou vários itens amassados ou arranhados com desconto e deixava comida na geladeira o triplo de tempo que Robin deixaria. Pior de tudo, enquanto ela cozinhava usando uma panela e uma espátula por dia, ele usava uma ampla variedade de panelas, frigideiras, pratos e utensílios para preparar três refeições balanceadas por dia.

Para acalmar seu coração e sua mente, Robin repetia para si mesma "Wabi Sabi ou guerra", enquanto se oferecia para ajudar na limpeza após as refeições. Mas por dentro, ela se perguntava: "Onde foi parar minha sanidade? Onde está a minha brisa? Como posso reencontrar meu sereno estado de espírito?"

Então, um dia, algo aconteceu. Estavam todos na cozinha, Brian fazendo uma bagunça imensa, as crianças derramando batatinhas e molho e bebidas, e de repente Robin viu sua nova vida como ela realmente era: cheia de amor. Através das lentes Wabi Sabi – que ela mesma escolhera para a versão adulta de si, em substituição à difícil realidade de sua infância – a cozinha desarrumada deixou de ser um sintoma de um lar problemático e virou um símbolo de uma família cheia de amor. Ver todos rindo e se divertindo no meio da confusão fez com que Robin percebesse que ela podia escolher mudar sua maneira de ver a situação, e foi o que ela fez. Limpeza em si não era o único vestígio de sanidade, assim como a bagunça em si não era sinal de neurose. Muito pelo contrário! Era sinal de uma família feliz. Essa nova verdade criou raízes em Robin, e ela finalmente se juntou à diversão. O Wabi Sabi a conquistou naquele momento e nunca mais a largou.

A escolha de Robin de mudar sua perspectiva de "caos na cozinha" para "amor, gargalhadas e felicidade no lar" é Wabi Sabi em sua melhor expressão. Deixar para trás a necessidade de sua criança interior de por ordem na cozinha permite que ela aproveite por inteiro a família amorosa e acolhedora da qual ela se tornou a matriarca querida e admirada.

EXERCÍCIO:
vestindo uma capa diferente

Quando éramos crianças e brincávamos de vestir fantasias, entrar e sair de papéis era tão fácil quanto calçar e descalçar chinelos. Na verdade, não importavam os papéis que escolhêssemos desde que todos tivéssemos um. No entanto, quando viramos adultos, nos apegamos aos papéis que representamos e às certezas que os sustentam. Neste exercício, você vestirá uma capa mágica e praticará a arte de observar as circunstâncias de sua vida através de um filtro ligeiramente diferente.

Sente-se sozinho com um bloco de papel e um lápis. Escreva alguns dos hábitos de seu companheiro que realmente lhe irritam. Alguns exemplos: deixar a tampa do vaso levantada (ou abaixada), espremer o tubo de pasta de dente no meio ou no fim, deixar gavetas e portas entreabertas ou dormir com as janelas fechadas.

Feche os olhos e imagine que você tem uma capa mágica com o poder de lançar um feixe de luz positiva em situações negativas. Ao pôr a capa imaginária sobre seus ombros, pense em um dos hábitos supostamente irritantes de seu companheiro.

Agora aceite um desafio à sua criatividade e pense em motivos interessantes e divertidos que poderiam explicar o comportamento dele. "Ela aperta a pasta de dente no meio porque se apertar no fim, o tubo ganha vida" ou "Ele deixa a porta entreaberta para que os pequenos elfos que vivem no forno possam escapulir de volta para dentro quando não houver ninguém olhando!".

Abra os olhos e respire fundo algumas vezes.

Escreva um novo conto de fadas para explicar esse comportamento e substituir o filme de terror recorrente que passa na sua cabeça.

Por fim, comprometa-se a experimentar o comportamento de seu parceiro. Você encontrará alguma resistência interna, e talvez nunca chegue a gostar do hábito, mas a questão essencial é que você se sinta na pele (ou, digamos, na fantasia) de seu companheiro.

(Para ter uma experiência mais profunda com este exercício, acesse www.wabisabilove.com/audio para baixar uma versão guiada em áudio.)

Mudar apenas um pequeno detalhe na forma com que enxergamos o mundo pode mudar toda a nossa percepção. Nossa maneira de ver, positiva ou negativa, impacta nosso relacionamento de muitas maneiras. Uma escolha Wabi Sabi oferece novas vias para ver o mundo de um jeito diferente e influencia não apenas o que vemos, mas *como* vemos. Apontar o dedo resultará numa resposta diferente de oferecer a mão. De qualquer modo, a escolha cabe a cada um de nós.

QUATRO

Humor e humildade

"As palavras são a mais poderosa droga usada pela humanidade." — **Rudyard Kipling**

Eu sempre achei que tinha um bom senso de humor, até conhecer Brian. Amo rir (quem não ama?) e sou fã do tipo de humor bobo que provoca crises incontroláveis de riso. Pode-se dizer que sou *riso fácil*, porque rio de quase qualquer coisa remotamente engraçada. No entanto, quando conheci Brian, fiquei devastada ao descobrir que há um tipo de humor que eu simplesmente não entendo.

Brian (considerado um cara muito engraçado por quem o conhece bem) tem um senso de humor irreverente e sofisticado que meu intelecto não consegue acompanhar na maioria das vezes. É comum que ele diga algo sarcástico ou desaforado que passa batido por mim. Com o tempo, ele percebeu a necessidade de prefaciar suas tiradas com "isso é para ser engraçado", o que se provou muito útil para a minha capacidade de processar as coisas no preto-no-branco.

Durante um voo de Nova York para San Diego, estávamos sentados ao lado de um homem que estava lendo um livro e não parava de rir. Em um momento, enquanto ele estava se dobrando com espasmos de riso, cutuquei-o no ombro porque também queria saber a piada. Lágrimas escorriam pelo seu rosto quando ele me entregou o livro e conseguiu dizer:

— Leia essas duas páginas.

Com Brian olhando por cima do meu ombro, começamos a ler o livro *Cartas de um louco,* de Ted L. Nancy, com introdução de Jerry Seinfeld. Na terceira linha já estávamos rindo a ponto de sentir dor na barriga. (Há rumores de que Seinfeld teria, na verdade, escrito o livro inteiro e criado o pseudônimo de Ted L. Nancy, mas não se sabe ao certo.) Terminamos as duas páginas e secamos as lágrimas na manga. Com os olhos marejados de tanto rir, olhamos um para o outro, e a crise de riso parou. Não podíamos acreditar. Estávamos a nove mil quilômetros de altitude e finalmente encontramos um terreno comum no humor.

Naquele dia, descobrimos que ambos somos grandes fãs de Jerry Seinfeld – na verdade, Brian já havia visto o comediante mais de dez vezes. Agora temos um encontro anual pré-arranjado para assistir ao show do Seinfeld ao vivo, e juntos nós gargalhamos até chorar.

Princípio Wabi Sabi

Rir não é apenas o melhor remédio que existe. É também a divertida cola que ajuda a manter a união e suaviza momentos difíceis.

O riso não apenas cura; ele também une as pessoas. Nada tem maior capacidade de unir as pessoas e aquecer os corações do que uma gargalhada, daquelas que vêm de dentro, compartilhada com aqueles que amamos. Como veremos na próxima história, pequenos momentos de humor podem abrir caminho para grandes doses de intimidade.

A cura da rabugice: uma pitada de humor

O que acontece quando um ermitão se casa com uma "borboleta social"? Gay é um intelectual que prefere se socializar em "pequenas doses homeopáticas", segundo ele próprio, e se sente muito confortável ao passar longos períodos sozinho. Katie, que também é brilhante e bem-sucedida, é uma verdadeira "borboleta social". Entre dar palestras no mundo todo e administrar seu instituto, ela ama dançar, ir a festas e se divertir o máximo possível.

No início do casamento, era comum que Gay estivesse trabalhando em seu escritório, perdido nos próprios pensamentos, e Katie viesse interrompê-lo com algum pensamento aleatório, sentimento ou ideia, ou (nas palavras de Gay) "algo deveras trivial". Ele achava as intrusões desnecessárias e irritantes, e sempre dizia algo para repreendê-la, como: "Você não está vendo que estou trabalhando em algo muito importante agora?"

Essa situação recorrente gerou desarmonia e tensão entre eles "nas primeiras quinhentas vezes", relembra Gay, em tom de brincadeira.

Um dia, Katie resolveu seguir uma abordagem um pouco diferente. Quando o interrompeu, Gay começou a dizer sua frase costumeira:

— Você não está vendo que... — ao que Katie respondeu, com tom de exagerada reverência:

— Obrigada, Professor nº 435. Jamais teria conseguido descobrir isso sozinha!

Gay riu tanto que quase caiu da cadeira.

Em seus vinte anos como professor de psicologia clínica na Universidade do Colorado, o número de seu registro de psicólogo era 435.

Agora, sempre que Katie entra no escritório de Gay para interromper seu trabalho árduo, ele responde de maneira exagerada e rocambolesca:

— Você não percebe que estou prestes a desvendar todos os segredos do Universo? — ao que ela responde com alguma versão de:

— Obrigada, Professor nº 435. Nunca teria conseguido entender isso sozinha!

Saber quando usar o humor e quando se afastar foi muito útil para Katie.

No entanto, a não ser que você seja comediante profissional, humor não pode ser a panaceia para todas as situações. Há aquelas vezes em que passamos por cima de um buraco na estrada ou que a merda bate no ventilador, e vocês estão no calor de uma discussão, no meio de uma crise, ou impacientes um com o outro. Nessas horas, é de grande ajuda perceber que estão passando por um momento Wabi Sabi. Permita que os conceitos do Wabi Sabi se juntem a vocês. Saibam que estão sendo desafiados a encontrar a ironia, o absurdo, a irrelevância máxima do conflito. Às vezes inventar codinomes um para o outro – como quando Brian me vê com o dedo em riste e a cabeça inclinada para o lado, e eu já sei que ele vai me chamar de Sheila a qualquer minuto. Quando ele é condescendente, pode ter certeza de que gritarei "Wayne!" de onde estiver.

Caso isso não funcione, alguma distância pode ajudar. Para mim, ter um tempo para meditar, praticar uma técnica de liberação emocional ou até mesmo dar uma caminhada breve até a esquina para limpar meus pensamentos (antes que eu despeje todos eles sobre Brian) ajuda a me libertar da turbulência emocional que é parte integrante de qualquer relacionamento longo. Assim consigo a perspectiva e o distanciamento necessários para olhar as coisas de uma maneira nova. Dessa forma, começo a gostar da rachadura e abrir minha mente para ver e sentir outras soluções, algumas das quais podem não ser inerentes à minha maneira costumeira de pensar.

Gostaria de reforçar que não estou pedindo que você ignore as questões reais que precisam ser resolvidas, nem que finja que elas não existem, e sim que você descubra o que é perfeito nas imperfeições de seu relacionamento. Essa é a essência do Wabi Sabi, que estimula que soluções criativas se revelem através das rachaduras.

Uma fábula sobre aprender a confiar

Joan e Gordon eram recém-casados e estavam completamente apaixonados um pelo outro quando decidiram visitar a costa de Oaxaca, no México. Ambos pertenciam à mesma geração e eram estudados e bem-sucedidos, de modo que compartilhavam muitos objetivos intelectuais e espirituais. No entanto, não podiam ser mais diferentes quando se tratava de comida.

Joan não liga muito para comida, exceto como combustível para seu corpo, enquanto Gordon ama tudo relacionado a comprar, preparar e provar a comida. Joan se contenta com um pedaço de queijo derretido em um pão sírio; Gordon quer baguetes integrais assadas na hora com tomates orgânicos recém-colhidos, tudo regado no melhor azeite de oliva extra-virgem.

No entanto, quando Joan fica com fome, seus níveis de açúcar no sangue despencam e ela precisa comer de imediato. Prontamente. Agora mesmo. JÁ.

Assim, lá estavam eles, na simpática cidade costeira de Huatulco. Pegaram um táxi do hotel até um restaurante na praia que eles achavam que seria muito bom. O sol estava se pondo quando o táxi os deixou lá; desceram as escadas até a areia e conseguiram encontrar o restaurante... fechado... porque era domingo. Subiram as escadas de volta no lusco-fusco, e é claro que o táxi fora embora há muito, e a rua estava deserta.

De repente, o açúcar no sangue de Joan baixou, e ela tinha que comer imediatamente, então foram ao primeiro restaurante que encontraram, bastante chique. Gordon não se impressionou e não queria comer ali; preferia procurar outro lugar no quarteirão seguinte. Mas Joan insistiu que, caso não comesse AGORA MESMO, iria desmaiar. Acabaram entrando no restaurante chique, sentaram-se à mesa e, de fato, comeram um jantar insatisfatório e superfaturado.

Ao sair do restaurante, virando a esquina, deram de cara com uma pizzaria simpática que poderia ter proporcionado comida muito mais gostosa e bem mais barata.

Na manhã seguinte, Gordon ainda estava bufando sobre a noite anterior. Durante o café da manhã, ele disse que se arrependia de não ter ignorado a esposa e percorrido mais um quarteirão em busca de um lugar melhor para comer. Contente, pelo menos, de não ter que andar muito para tomar seu café da manhã, Joan lançou um olhar ao marido como se dissesse: "Passei a vida tendo que lidar com essa questão fisiológica. Acostume-se com isso".

— Você conhece Orfeu, o poeta grego? — perguntou ele.

— Quem? — disse ela, enfiando um grande pedaço de pão na boca.

Gordon começou a contar sua história.

Nos tempos antigos, Orfeu se apaixonou e se casou com uma linda ninfa chamada Eurídice. Um dia, Eurídice tropeçou em um ninho de serpentes, foi picada no calcanhar e morreu.

Devastado pela morte de sua amada, Orfeu fez chorar todas as ninfas e todos os deuses com seu canto desolado. Seguindo o conselho deles, Orfeu viajou até o mundo dos mortos para trazer Eurídice de volta. Sua música comoveu o coração de Hades e Perséfone (algo que nunca acontecera antes), que permitiram que Eurídice retornasse com ele para a terra, mas com uma condição: ele deveria caminhar à frente dela e não olhar para trás até que chegassem ao mundo dos vivos. Não importava o quanto ela chorasse ou protestasse, Orfeu não poderia prestar atenção nela ou sequer olhar para ela, ou então a perderia para sempre.

Começaram o caminho de volta ao mundo superior. Eurídice pediu a ele que se virasse e lhe desse um beijo, mas Orfeu sabia que não podia dar ouvidos a ela. A moça continuou pedindo e implorando que ele se virasse e olhasse para ela. Por fim, contrariando seu próprio julgamento, Orfeu cedeu aos apelos persistentes e olhou para trás, apenas para ver a figura da amada, desvanecendo para sempre.

Quando Gordon terminou sua história, olhou sua amada Joan sobre a mesa do café da manhã:

— Agora que você ouviu essa história, como se sente?

— Sinto vontade de te dar um murro na cara — respondeu Joan, engolindo a última mordida de sua deliciosa refeição.

Gordon reclinou-se para trás na cadeira e gargalhou histericamente, e Joan, em uníssono, começou a rir também.

Hoje eles se referem à situação como o Momento Huatulco, que, depois de tantos anos, ainda é motivo de risada para eles. Desde então, Gordon aprendeu a reconhecer a necessidade de Joan de comer a intervalos curtos, e hoje insiste que a esposa nunca saia de casa sem uma barra de cereal no bolso.

A história ilustra como Gordon foi capaz de transformar seu aborrecimento (e um possível arrependimento eterno) ao utilizar seu conhecimento de mitologia clássica para expressar seu amor e apoio a Joan. Adoro essa história porque era como se ele estivesse dizendo: "Eu iria até o inferno para te trazer de volta, mas se você quer compartilhar sua vida comigo, terá que confiar na minha liderança". Uau! Esse é um cara que sabe fincar seu estandarte e tomar posse de um território. Bravo.

Como também sofro com baixos níveis de açúcar no sangue, entendo a sensação intensa de "alimente-me agora ou vou morrer" que Joan descreve. Assim como Gordon, Brian sempre me lembra de trazer um saquinho de amêndoas para que nunca tenhamos um momento de "murro na cara".

Como acrescentar mais humor

Como já expliquei, Brian e eu aprendemos logo a usar codinomes para alertar um ao outro sobre comportamentos negativos.

Criar apelidos bobos é outra maneira bem-humorada de lidar com situações potencialmente complicadas. Por exemplo, se seu companheiro vive roubando os cobertores à noite, você pode chama-lo de Monstro do Lençol, um código para *preciso que você aprenda a dividir*.

Meu amigo Jim chama sua esposa Jackie de "cleptofoníaca", porque, apesar de o casal ter uns cinco telefones sem fio em sua casa de três andares, ela sempre os carrega para fora do lugar, e ele nunca encontra um telefone quando precisa.

A estratégia deve ser uma forma leve de advertir o outro e informar que você está falando sério, portanto não deixe que evolua para uma sessão de insultos.

Ou então crie uma música tema para seu amado. Pegue uma melodia conhecida como "You are my sunshine" ["Você é meu raio de sol"], um *jingle* famoso ou uma musiquinha qualquer de sua preferência e reescreva a letra, dizendo ao seu companheiro o quanto você o ama, incluindo suas manias. Mesmo que você não seja muito afinado, cante a música para seu parceiro. Sempre.

Brian vive gravando CDs especiais para mim, com músicas que descrevem o que ele sente por mim. Uma das minhas músicas preferidas é "Just the way you are" ["Exatamente como você é"], de Billy Joel, por expressar de uma forma tão linda os princípios do Wabi Sabi. Quando amamos nossos companheiros exatamente como eles são, eles se sentem livres para ser quem são sem necessidade de fingimento, ansiedade ou vergonha.

Humildade

Outro conceito-chave para aprender a construir um relacionamento Wabi Sabi é a humildade, um sentimento que não parece ser muito natural aos seres humanos. Em caso de conflito, é de nossa natureza pensar que a causa do problema está *do lado de lá*. Poucas pessoas são educadas por seus pais para refletir a respeito de seus julgamentos e motivações verdadeiras. Quando humor, metáfora e mitologia forem vias pouco apropriadas para solucionar uma situação, às vezes uma boa dose de humildade dá conta do recado.

Vegana + caçador = união sagrada

Jill, uma mulher bonita, cheia de energia e muito charmosa, achava que seu par perfeito seria alguém que compartilhasse seus interesses por ioga, meditação, espiritualidade e assuntos metafísicos, além de seu vegetarianismo e seu amor por tudo o que é orgânico. Com uma boa dose de medo e insegurança, Jill deixou a Califórnia e voltou à sua cidade natal em Nova Jersey. Logo estava noiva de Ray, um "macho" que gostava de caçar patos, comer carne, pilotar motocicletas e fumar. Além disso, ele tinha uma certa fobia social e preferia ficar em casa na maior parte do tempo.

Jill queria que Ray fosse "o escolhido", com todo seu coração. Mas havia um obstáculo imenso no caminho. Ela acreditava piamente que era a "pessoa evoluída" do relacionamento e estava sempre julgando os hábitos, hobbies e comportamentos dele. Todos sabemos que julgamentos apressados e críticas irritantes caminham lado a lado.

Por fim, Jill terminou com Ray, explicando que precisava encontrar alguém com quem tivesse mais em comum. Apesar do coração partido, ele continuou sendo a mesma pessoa amorosa, gentil e compreensiva:

— Se isso é o que você precisa, aceito a sua decisão. Mas esperarei por você pelo tempo que for necessário.

Continuaram vivendo juntos como amigos, já que nenhum dos dois podia vender a casa em que moravam naquele momento. Ray tratava Jill como sempre havia tratado, com muito cuidado, respeito e amor. Ela começou a entender que, enquanto o amor de Ray sempre fora incondicional, o dela fora condicional, crítico e austero ao extremo. Percebeu também que a maioria dos caras "espiritualizados" com quem ela saía tinha um discurso muito bonito, mas que não se traduzia em ações. Ray, por outro lado, era generoso, autêntico, leal e benevolente, e tinha todas as qualidades que Jill considerava como "espirituais". Ray a idolatrava, e as necessidades dela vinham em primeiro lugar para ele, que tinha a habilidade de fazer com que ela se sentisse especial, algo que ela nunca soubera valorizar.

Aos poucos, Jill passou a vê-lo com outros olhos. Observando-o de perto por cinco meses, constatou que ele vivia sua vida sem julgar os outros. Percebeu então que tinha agido de forma espiritualmente arrogante ao acreditar que era a "professora". A habilidade de Ray de amá-la do jeito que ela era mostrou que, na verdade, o professor era ele.

Jill sempre se considerou uma verdadeira amante da natureza, e seu coração se enchia de alegria ao cultivar a terra, mas um dia, voltando de uma tarde de caça, Ray compartilhou com ela sua experiência de reverência pela beleza das florestas, o céu, os cheiros e o silêncio. Admirada, ela entendeu algo que a surpreendeu e abriu seu coração: havia muitas formas diferentes e belas de se estar em comunhão com a natureza, não apenas a forma dela!

Alguns dias depois, Ray pediu a ela que o acompanhasse ao funeral de seu antigo chefe, Bob. Havia mais de 350 motociclistas presentes, mas nenhum dos antigos colegas de Ray foi capaz de se levantar e fazer uma homenagem a Bob. Ray deixou seus medos de lado, caminhou com calma até a frente da capela e falou do fundo de seu coração sobre o homem bom e amado que Bob fora. Foi naquele momento que Jill, perplexa com a capacidade dele de superar sua fobia social (justamente aquilo que ela mais julgava a respeito dele), apaixonou-se de verdade por ele. Sua habilidade de deixar seu coração falar e trazer conforto à família de Bob fez com que ela descobrisse dentro de si um respeito renovado por Ray. Ela nunca havia sentido tanto orgulho dele.

Após um noivado de quatro anos, cheio de idas e vindas, o casamento finalmente aconteceu. Jill encontrou o amor e a paz de espírito que sempre havia procurado.

A história de Jill e Ray me lembra uma de minhas citações preferidas: "É um mundo de tanto/quanto. É *tanto* a maneira que você diz que é quanto a maneira que eu digo que é." O ponto de vista particular de Jill quanto ao conceito de "espiritualidade" limitava sua habilidade de ver e reconhecer a natureza espiritual inata de Ray. Ela recriminava sua timidez, tão diferente da personalidade extrovertida dela, até (felizmente) testemunhar o lado corajoso, amoroso e generoso de Ray naquele funeral.

Ao invés de considerar inaceitável a natureza mansa de Ray, como ela costumava fazer, agora via que esse era um de seus atributos mais atraentes e amáveis. Jill sofreu uma verdadeira mudança Wabi Sabi que permitiu que ela amasse e admirasse Ray inteiramente, de uma forma que ela nunca havia imaginado possível.

Como acrescentar mais humildade

Jill impedia que seu coração recebesse o amor de Ray porque presumia que suas crenças e comportamentos faziam dela a mais "espiritual" dos dois, o que fez com que ela se distanciasse dele. O exercício abaixo irá ajudá-lo a deixar suas presunções de lado através da prática daquilo que a psicóloga de Harvard Ellen Langer chama de "consciência plena".

Escolha um momento em que você possa observar seu companheiro por uns cinco minutos sem parecer óbvio demais (você não quer deixá-lo desconfortável). Durante esse tempo, procure cinco diferenças em relação à última vez que você o observou de verdade. O fato é que as pessoas estão sempre crescendo e mudando, mas é comum que estejamos ocupados demais para perceber as mudanças em quem está muito próximo. Talvez seu companheiro esteja vestindo uma peça de roupa diferente ou talvez olhá-lo faça com que você se lembre de algo interessante que ele disse recentemente. Ao observar o que há de novo em seu parceiro, você fortalecerá sua capacidade de vê-lo e de se relacionar com ele de maneiras novas.

Às vezes as pequenas mudanças passam despercebidas por muito tempo. Todos estamos imersos em rotinas que nos cegam para o crescimento de nossos companheiros. Casais mudam e se distanciam porque param de se comunicar um com o outro. O amor Wabi Sabi nos reaproxima e restabelece o diálogo ao permitir que haja espaço suficiente para observação e sinceridade.

CINCO

O *yin* e o *yang* do amor profundo

"Ao invés de procurar amor, sua missão é encontrar as barreiras que você mesmo construiu ao seu redor para afastá-lo." — **Rami**

O que afugenta o amor profundo? Aprenda a lição com Rami: as barreiras àquilo que buscamos existem apenas dentro de nós. Se queremos ser ouvidos, precisamos aprender a ouvir. Se buscamos amor incondicional, primeiro precisamos dá-lo aos outros e a nós mesmos. Podemos influenciar muito nossos relacionamentos com pequenas mudanças em nosso comportamento em relação aos outros. Parafraseando Gandhi, só conseguimos encontrar o amor profundo quando estamos dispostos a ser a mudança que queremos ver.

Custa ouvir de verdade as pessoas que amamos? Como podemos escutá-los sem todos aqueles filtros inconscientes que criamos, para enfim entrarmos em sintonia com a realidade de nossos parceiros e abraçar por inteiro como eles se sentem, como pensam e no que acreditam? Como podemos tirar o foco de nós mesmos para ver de verdade a beleza em nossos companheiros?

Neste capítulo você encontrará o caminho para a intimidade, a paixão e o propósito profundos. Para isso, aprenderá a ficar em sintonia consigo mesmo e com seu parceiro ao se engajar por inteiro na realidade do outro – mas antes de se sintonizar com a realidade de seu companheiro, você deve aprender primeiro a ficar em sintonia consigo mesmo. O amor Wabi Sabi depende de ouvir com atenção as próprias intenções e crenças. Sem compreender e amar a si mesmo, o Wabi Sabi não pode florescer.

Nossos amigos Vivian e Mike tiveram um momento decisivo bem no inicio de seu casamento, e sua história é um belo exemplo de como *sentir o desejo mais profundo de seu parceiro* consiste na fundação para uma intimidade e uma confiança mais profunda, e traz resultados inesperados.

A mistura de yin e yang

No outono de 1999, na ensolarada ilha grega de Ios, Vivian conheceu Mike. Ela era uma poderosa consultora de marketing de Boston, acostumada a fazer as coisas acontecerem, e ele era de Minneapolis, viciado em tecnologia, e tinha acabado de produzir um longa-metragem; ambos estavam na Grécia para uma jornada arqueológica liderada por um analista jungiano. Mike foi cativado pela beleza, inteligência e independência de Vivian, assim como por seu amor pela carreira. Ela ficou impressionada com a concentração dele, com seu humor sarcástico e um pouco cruel e seu arsenal aparentemente inesgotável de criatividade *yin*. E o mais importante: ao contrário dos outros homens que ela namorara, Mike não parecia nada intimidado pela ambição, pela força e pelo sucesso de Vivian, características muito *yang*.

A chama se acendeu entre os dois durante os dias e noites de sua aventura pelo mar Egeu, e logo havia um casamento no futuro do casal. Vivian, com seu jeito direto e sem rodeios, foi muito honesta desde o princípio a respeito de seu desejo de ter uma família. Ele também queria filhos, mas discordava dela a respeito da janela de tempo para que isso acontecesse e queria esperar cinco anos.

À sua típica maneira *yang*, ela respondeu pela centésima vez:

— Nem pensar. Tenho 38 anos, não podemos esperar.

Alguns meses depois, sentados no carro estacionado em uma noite fria do Minnesota, discutiram mais uma vez a questão do bebê. Vivian experimentou uma necessidade *yin* como jamais sentira antes. Era como se o alarme de seu relógio biológico estivesse reverberando em cada célula de seu corpo. Impressionada com o desejo materno em sua alma, ela olhou para Mike e disse:

— Você não entende que eu preciso ter algo de que cuidar?

De repente, sua voz soou estranha, até para ela mesma. Era como se algo ou alguém estivesse falando através dela. Imersa em sua própria energia feminina, percebeu que quem falava aquela enxurrada de palavras era, de fato, sua verdade mais nobre.

— O que mais me deixou irritada com aquela situação foi perceber a falta de empatia e de compaixão dele. Sempre pensava: "Por que ele não sente o que eu sinto?" Antes, ele sempre fora muito sensível em relação aos pensamentos e sentimentos dela. Era estranho deixar de lado a persona assertiva e focada na carreira e assumir seu lado mais suave e menos habitual.

Pouco depois, casaram-se e concordaram em tentar ter um filho. E foi então que a agenda de trabalho de Mike ficou muito cheia. Vivian, que conhecia muito bem seu ciclo menstrual, certificou-se de que jamais perdessem uma janela de oportunidade. Quando estava ovulando, ela simplesmente subia num avião e encontrava Mike em seu hotel em Nova York, cidade nativa dela. E *voilà*, logo estavam grávidos de seu primeiro filho, Zak.

Os dois, pais felizes de um belo menino, estavam prontos para planejar o bebê nº 2. Vivian, agora com quarenta anos, sabia que não seria fácil, mas nunca passaria pela sua cabeça a hipótese de que no próximo ano ela abortaria... duas vezes. Sentindo-se derrotada e deprimida, Vivian não conseguia pensar em outra coisa. Seu desejo de cuidar de outra criança era tão intenso quanto sua urgência inicial, e ela começou a se perguntar como poderia satisfazer essa necessidade esmagadora e obsessiva.

— E então uma noite, por volta das três da madrugada, finalmente percebi o que precisava fazer. Acordei Mike e disse: "Tenho que ir para a África. Preciso fazer algo para ajudar as crianças de lá" — explica ela.

Sentindo a sinceridade em suas palavras, Mike disse apenas:

— Se é isso o que você precisa fazer, então vá.

Ele não tentou contra-argumentar ou dissuadi-la e não falou como aquilo podia ser perigoso.

No dia seguinte, foram até Los Angeles para seu primeiro culto na igreja Ágape. Como obra do destino, havia um anúncio de uma missão especial para o Senegal e para a Gâmbia, saindo em três semanas.

A viagem de Vivian à África mudou sua vida. Ela conheceu a fundo as necessidades de crianças e mães naqueles países pobres do terceiro mundo. As estatísticas em si são de partir o coração: mais de 17 milhões de mortes por AIDS deixaram para trás 12 milhões de órfãos; a cada dia, três mil crianças morrem desnecessariamente de malária.

Ao se preparar para voltar para casa, Vivian percebeu que seu trabalho na África poderia ser sua solução Wabi Sabi para a infertilidade, sua maneira de descobrir a perfeição em sua impossibilidade de gerar um segundo filho. Embarcou no avião para casa com a certeza resoluta de que faria diferença na África.

— Ser mãe não abriu meus olhos apenas para o meu próprio filho; também abriu meu coração para as necessidades das mães e das crianças em todo o mundo. Minha decepção por não conseguir engravidar novamente me sensibilizou para a possibilidade de que todos os filhos fossem "iguais ao meu próprio filho". Encontrei minha missão na África.

Assim nasceu o www.justlikemychild.org ["iguais ao meu próprio filho"]. Em um mês, Vivian e um pequeno grupo de pessoas conseguiram levantar US$ 30 mil para comprar um gerador e levar eletricidade e água para um pequeno hospital rural em Uganda, beneficiando 600 mil famílias necessitadas. Em alguns meses, conseguiram doações suficientes para contratar um médico em tempo integral, custear uma ambulância e adquirir suprimentos essenciais.

A criatividade de Mike impulsionou a missão de Vivian, visto que ele projetou eventos inovadores de arrecadação de fundos para a organização em Uganda, que agora inclui programas de: educação para meninas, construção de escolas, microempreendedorismo e prevenção de malária; além da construção de um novo centro cirúrgico. Nada disso teria "nascido" não fosse a capacidade do casal de escutar um ao outro.

Anos depois, Vivian lembrou-se daquela noite fria no carro quando ela revelou seu desejo de ter um filho. Perguntou a ele:

— O que fez com que você finalmente concordasse em ter um filho?

A resposta dele a deixou perplexa:

— Naquela noite, eu percebi que era a sua alma que estava falando comigo e soube que tinha que fazer isso por você. Soube que o maior presente que poderia te dar era ajudá-la a realizar o desejo de sua alma e confiar que aquela era a hora certa para nós.

Ao concordar em começar uma família, Mike deu a Vivian o presente da compaixão. Era sua maneira de "sentir o que ela sentia". Quando ela entendeu isso, suas ideias pré-concebidas sobre seu marido se estilhaçaram. Pela primeira vez, ela percebeu que Mike não apenas sentia o que ela sentia, mas também havia confiado nela o bastante para deixar que o desejo da alma dela guiasse a vida de ambos. Entendeu enfim que, presa em sua própria certeza de que ele não a estava ouvindo e não queria ajudá-la, ela é quem não havia conseguido enxergar que sua própria concepção estava equivocada o tempo todo.

A história de Vivian e Mike é um lembrete poderoso de que, por mais que acreditemos conhecer o conteúdo da mente do outro, muitas vezes estamos errados. Em outras palavras, nosso companheiro pode estar "sentindo o que nós sentimos" muito mais do que pensamos. Psicólogos e neurocientistas especializados em cognição atribuem esse fenômeno ao que chamam de "Teoria das outras mentes". Simplificando, quando somos jovens, desenvolvemos a habilidade de reconhecer os outros como indivíduos e inferir a respeito do que poderiam estar pensando ou sentindo. É uma das ferramentas cognitivas mais valiosas à nossa disposição para que nos orientemos no mundo dos relacionamentos.

De acordo com a neurocientista Peggy La Cerra, Ph.D., "guardamos centenas de arquivos de memória sobre cada uma das pessoas que conhecemos – o que valorizam, o que as motiva e aquilo de que gostam ou não gostam". Em relacionamentos íntimos, isso significa que, embora muitos de nós acreditemos saber o que nossos parceiros estão pensando o tempo todo, isso pode não ser verdade. Eles podem ser motivados por algo completamente diferente; mas a familiaridade gera um nível de conforto tão alto que nos leva a presumir coisas sobre o outro.

Na maioria dos casos, quando acaba a fase da lua de mel, nossa tendência é prestar atenção em nossos companheiros apenas nos pontos em que seu comportamento intersecta com nossos objetivos no momento. Entramos no piloto automático e perdemos contato com nossas habilidades básicas de ouvir, presumindo que sabemos tudo o que a outra pessoa está sentindo porque "já passamos por isso umas cem vezes". Como Vivian descobriu, é comum presumir que nosso parceiro não consegue sentir o que sentimos porque cada um de nós vive num mundo interno altamente personalizado. Muitas vezes nem chegamos a dedicar tempo algum a tentar entender o que nosso parceiro está realmente pensando – ou mesmo dizendo.

Para mim, a prática de escutar em profundidade abriu as portas não apenas para que Brian entrasse em minha vida, mas também nos ajudou a entrar em sintonia novamente em uma época em que nosso relacionamento poderia ter saído dos trilhos.

Como cresci na época dos movimentos feministas, aprendi cedo a guardar meu lado mais materno bem no fundo da prateleira, atrás da minha ambição e da minha sede de conquistas.

O lado positivo foi que cresci *sabendo* que era inteligente (talvez mais inteligente!) e que valia tanto quanto qualquer homem, apesar dos comentários condescendentes de meu pai sobre seu desejo de ver a mim e minha irmã cheias de filhos e cuidando da casa. Felizmente, minha mãe foi meu exemplo, uma mulher de negócios forte e independente que podia fazer tudo o que quisesse, e era nessa visão que o meu coração se agarrava.

No entanto, o lado negativo de minha atitude feminista assertiva foi que minha cruzada por independência e igualdade fez com que eu negligenciasse quase por completo o meu lado feminino. Estava sempre tão comprometida com minhas opiniões fortes sobre o verdadeiro papel da mulher no mundo que me identificava quase que completamente com meu lado masculino, enquanto meu lado feminino desvanecia. Isso acabou se tornando um grande obstáculo quando percebi que jamais conseguiria entrar na sintonia do amor caso não estivesse em sintonia com minha parte mais carinhosa. Meu momento Wabi Sabi foi quando percebi que tinha que resgatar meu *yin* para atrair meu futuro parceiro *yang**.

---

* De acordo com o taoísmo, todos temos uma mistura de *yin* e *yang*. *Yin* é a energia feminina; *yang* é visto como a energia masculina. Um casal tem problemas quando ambos favorecem mais um mesmo tipo de energia. Um relacionamento Wabi Sabi visa ao equilíbrio entre as duas forças.

Sou o que se pode chamar de uma pessoa direta, alguém que sempre diz o que está pensando e não se preocupa em pôr panos quentes na situação. De fato, nunca ninguém me acusou de ser tímida. E se por um lado esse estilo mais masculino de me comunicar foi muito útil na minha vida profissional, por outro lado descobri que a maioria dos homens não considera essa característica desejável ou atraente em um relacionamento íntimo. Homens masculinos tendem a procurar as qualidades *yin*, femininas, em uma mulher, enquanto mulheres femininas tendem a gravitar em torno de fontes de energia oposta, *yang*. Meu *yang* estava aparentemente ligado na frequência máxima, e numa noite fatídica, percebi o quão repelente meu desequilíbrio podia ser.

Princípio Wabi Sabi

Quando nossas energias estão desequilibradas, nossos relacionamentos ficam alquebrados. Como as metades de um círculo, cada um deve se mover de forma fluida para frente e para trás, como em uma dança. Para evitar pisões no pé de seu companheiro, preste atenção e esteja no mesmo ritmo das energias.

Quando tinha uns trinta e poucos anos, tive um encontro com um homem que acabou sendo superficial, paternalista e insuportável. Sim, foi um encontro muito, muito ruim. De forma nada intencional, esse homem, que aqui chamaremos de Dirk, disse algo que mudou a minha vida para sempre:

— Você é uma mulher durona e poderosa. Aposto que a maioria dos homens se caga de medo de você.

Depois desse comentário, Dirk parou o carro na frente do meu prédio e se inclinou para me dar um beijo de boa noite. Esquivei-me dele, escorreguei para fora do carro e corri para casa, jurando que nunca mais o veria de novo.

No entanto, suas palavras finais ficaram tocando em *loop* na minha cabeça, sem parar.

"Você é uma mulher durona e poderosa. Aposto que a maioria dos homens se caga de medo de você."

Ai.

Até então, jamais havia pensado em mim como poderosa ou durona, mas a partir daí não consegui me libertar desse pensamento. E se Dirk estivesse certo? E se aquela fosse mesmo a imagem que eu passava e com isso estivesse afugentando qualquer chance de amor? Perplexa, fiquei envergonhada demais para discutir essa nova descoberta com qualquer pessoa.

Algumas semanas depois, uma amiga me convidou para uma palestra da Dra. Pat Allen, psicóloga que prometia "regras rígidas para relacionamentos" que, se seguidas à risca, levariam ao casamento. Foi essa a promessa que me fez atravessar as portas do auditório próximo ao campus da UCLA, em Westwood. O que me fez voltar às reuniões foram as ideias sábias e maravilhosas da Dra. Pat a respeito das "energias masculinas e femininas". No fim das contas, minha visão prática, assertiva e focada em resultados tanto para o trabalho quanto para a diversão significava que meu lado masculino (e *yang)* estava prevalecendo, enquanto minhas energias *yin* (receptivas, criativas, suaves e femininas) estavam adormecidas, escondidas em um canto do meu coração que eu ainda precisava explorar.

A Dra. Pat explicou que tanto homens quanto mulheres possuem energias masculinas e femininas, e que é muito apropriado que uma mulher explore seu lado masculino no trabalho. No entanto, se ela quiser ficar com um homem masculino, ela precisa aprender a acessar sua energia feminina, pois é a polaridade das duas forças que origina a harmonia e o desejo. Uau. Agora estava começando a entender o que Dirk quis dizer. Mas como eu poderia partir desse eu, o único eu que conhecia, e passar a uma versão mais feminina do "eu"? Será que eu teria que ficar piscando os cílios e dando risadinhas bobas para agradar os homens? Ou haveria um lado feminino e autêntico escondido em algum lugar dentro de mim, como uma fronteira desconhecida, querendo ser descoberto?

Intrigada, decidi pagar para ver.

Nos muitos meses que se seguiram, as reuniões de terça-feira à noite com a Dra. Pat se tornaram minha religião recém-descoberta, e comecei a envolver minha mente e meu coração na tarefa de fazer emergir a mulher que havia em mim. Preciso admitir que não foi fácil no início. Estava tão acostumada à minha postura habitual de tomar o controle e fazer as coisas acontecerem que eu simplesmente não sabia desligar esse botão no fim do dia ao sair do trabalho. Por outro lado, algo me dizia que a chave para a minha felicidade estava, em grande parte, ligada à minha capacidade de me render à energia feminina que, em tese, completaria com maior naturalidade a energia de um homem. Acima de tudo, sabia que precisava aprender a amar através de meu "eu" sagrado feminino mais profundo e receptivo.

Minha busca pela próxima peça do meu quebra-cabeça pessoal me levou à dança do ventre. O que poderia estar mais ligado à feminilidade e à sensualidade do que dança do ventre? Lá estava eu, mexendo os quadris e balançando o bumbum junto com as outras mortais na aula de dança, mas, ao mesmo tempo, ainda era muito exigente e vivia dando opiniões não solicitadas aos homens em minha vida. O caminho rumo à minha deusa interior era mais elusivo do que eu imaginei. Como, à época, não estava envolvida com ninguém, minha missão de transformar a "Arielle durona e poderosa que assustava os homens" acabou ficando um pouco esquecida.

No entanto, a dança do ventre teve um efeito mais profundo em mim do que percebi na época. Movimentar o corpo daquela forma libertou uma parte feminina e sedutora de mim que queria ser vista. Essa revelação, aliada à aplicação em minha vida pessoal de algumas das técnicas de manifestação que usei ao consolidar meu negócio, me posicionou firmemente no caminho para atrair o amor da minha vida.

Se você leu *Alma gêmea,* já sabe o quão bem as técnicas de manifestação funcionaram! Comecei a usá-las e logo conheci Brian. Soubemos desde o primeiro minuto que havíamos sido feitos um para o outro. Três semanas após nos conhecermos, já estávamos noivos; alguns meses depois, já morávamos juntos e começávamos um novo negócio como agentes literários.

Apesar de empolgante, nossa nova relação profissional também era um pouco frustrante. Ficou claro que Brian e eu possuíamos estilos de trabalho muito diferentes. Quando me sento à minha mesa, faço minha lista para o dia e fico concentrada em fazer as coisas acontecerem, quanto mais cedo melhor. Não dou passeios até o bebedouro, não fico de papo furado e não faço compras online. Brian, por outro lado, é uma pessoa sociável. Ama conversar e se conectar com as outras pessoas e gosta de saber que todos no escritório estão bem. Não importa quantos projetos houver na lista de afazeres de Brian, ele não se apressa e pensa com muito cuidado em cada um deles. Ele escreve, e então reescreve. Ele pondera, questiona e reconsidera. Depois disso tudo, quando se sente pronto, ele entrega um trabalho perfeito – geralmente três dias após a data em que eu teria entregado. Hoje eu admiro, reconheço e valorizo muito sua atenção ao detalhe e à qualidade, mas levei muito tempo para me acostumar com isso, e admito que houve dias em que eu quis acender uma fogueira sob os pés dele.

Com o tempo, passei a aceitar nossos estilos diferentes de trabalhar, mas ainda havia uma coisa que ele fazia e que me deixava louca: falar de negócios durante o jantar. Minha deusa interior em treinamento havia finalmente compreendido que, para abraçar, personificar e exalar energia feminina, eu precisava abandonar minha persona masculina ao sair do trabalho. Havia criado uma transição tranquila para convocar essa transformação de-*yang*-para-*yin*. Ao chegar em casa do trabalho, praticava um pouco de dança do ventre antes de tomar um longo banho morno de banheira, perfumado e com bastante espuma. Depois, aplicava um pouco de maquiagem e vestia um vestido, e então saíamos para jantar (durante anos, saímos para jantar todas as noites). No entanto, era inevitável que, em algum ponto entre a sopa e a sobremesa, Brian começasse a conversar sobre um dos livros que representávamos ou um contrato que estávamos negociando. No geral, a conversa era assim:

BRIAN: Acho que a oferta do editor para o livro novo de John vai chegar a US$ 150 mil, mas eles estão pedindo direitos mundiais.

ARIELLE: Que ótimo! Que tal falarmos sobre isso amanhã no escritório?

BRIAN: Por quê? Estamos aqui agora e estamos nos divertindo!

ARIELLE: Sim, estamos nos divertindo, mas eu queria muito aproveitar o tempo com você nessa noite, e não quero ligar meu cérebro no modo de trabalho.

Apesar do meu esforço em conduzir a conversa por um caminho diferente, muitas vezes acabávamos tendo algo parecido com um jantar de negócios em vez de uma noite romântica, porque seria mais difícil explicar a Brian: não sabia se seria capaz de descrever a situação de uma forma que ele pudesse entender. Cada vez que a conversa do jantar se desviava para trabalho, o nó em meu estômago apertava mais, e eu rezava por uma orientação para explicar ao meu novo marido atlético e descolado que minha deusa interior estava implorando por uma divisão mais igualitária de tempo.

Um dia, enquanto procurava um título em especifico em minha estante de livros, topei com um exemplar muito anotado de *Intimate Communication [Comunicação íntima]*, de David Deida. Folheando o livro, redescobri sua elegante explicação sobre identidades masculinas e femininas, não necessariamente relacionadas ao gênero, no contexto cultural ocidental. Em outras palavras: exatamente a minha situação. Brian leu boa parte do livro, e decidimos que seria bom para nós dois se fôssemos a um dos workshops de Deida.

Assim, lá fomos nós a um retiro em uma zona rural do Oregon, onde passamos o fim de semana rindo, chorando, olhando nos olhos e dançado. Deida é inteligente, engraçado, profano e muitas vezes simplesmente arrogante e desconcertante; apesar de alguns de seus rompantes mais exagerados, foi um ótimo professor. Brian e eu aprendemos com ele os muitos motivos pelos quais ambos precisávamos honrar minha recém-descoberta energia feminina, criando limites e um espaço sagrado, o qual separava nossa relação profissional de nosso relacionamento intimo.

Aprendemos que, num relacionamento saudável, cada um deve expressar energias tanto masculinas quanto femininas em ocasiões variadas e que, em nosso caso, fora do ambiente de trabalho, a expressão favorecida por Brian é masculina, e a minha, a feminina. Ele percebeu que sua necessidade de falar de negócios durante o jantar vinha de seus anos trabalhando com desenvolvimento, durante os quais passava longas noites com seus colaboradores, definindo e redefinido os mínimos detalhes de um contrato. Aquilo era divertido para ele. No entanto, quando ele percebeu os benefícios de alimentar e encorajar minha expressão feminina, ficou mais que disposto a deixar o trabalho no escritório. A moral Wabi Sabi desta história é a de que, quando ouvimos um ao outro, Brian e eu descobrimos meios para que cada um de nós pudesse expressar tanto seu lado masculino quanto feminino. E o resultado disso foi que passamos a combinar melhor no trabalho e nos tornamos amantes mais apaixonados.

Acima de tudo, a vontade de comunicar sempre nossas verdades, o compromisso de fazer do relacionamento nossa maior prioridade e a mente aberta a novas experiências resultou num grande salto em nossa "comunicação íntima".

Princípio Wabi Sabi

Quando você sente o desejo mais profundo de seu companheiro, cria alicerces para mais harmonia, união e alegria.

Quando começamos a direcionar de forma mais deliberada os tipos de energia que emanavam de um e de outro, e em determinadas partes do dia, a dança entre yin e yang deixou de ser um cabo de guerra e se tornou muito agradável. Aprofundar nossa habilidade de escutar, prestar atenção e sentir o que o outro sente foi a chave para encontrar o equilíbrio certo entre nossas energias masculinas e femininas.

Como as duas peças no círculo de energia yin-yang, Alanna e Mike complementam os pontos fortes um do outro de uma forma muito bonita. Sua história nos ensinará que algumas lições Wabi Sabi se aprendem num instante, enquanto outras podem exigir uma jornada de oito meses e milhares de quilômetros até os confins do mundo.

207 dias em busca do segredo para um casamento feliz

Era uma vez a londrina Alanna, que, num sábado à noite, foi convencida a ir a um encontro às escuras com um amigo de um amigo chamado Mike. Alanna presumiu que a ideia dele de marcar encontro em um pub fosse uma jogada para não ter que pagar o jantar dela. Sem qualquer expectativa, ela decidiu apimentar um pouco o encontro imaginando que Mike fosse alto, moreno e atraente, e ficou desapontada ao constatar quando ele chegou, cinco minutos atrasado, que era na verdade baixo e loiro.

A primeira coisa que ela disse a ele foi:

— Você está atrasado. Onde é que você estava? — e ouviu dele a rápida resposta:

— É sério que vamos começar desse jeito?

A partir dali, no entanto, algo mudou, e em questão de minutos estavam rindo e conversando como se houvessem se conhecido havia séculos. O primeiro encontro durou cinco horas, e ainda estão juntos depois de cinco anos, curtindo o amor que um sente pelo outro e vivendo a vida com um forte senso de propósito e espontaneidade.

Com essa mentalidade, um dia Mike decidiu participar de um evento de esporte radical que consistia em correr sete maratonas em sete dias no calor excruciante do deserto do Saara. Para continuar ligada a Mike e para que ele se lembrasse do quanto era amado, Alanna gravou vídeos com mensagens especiais de seus amigos e sua família para que ele assistisse todas as manhãs.

— Toda manhã eu assistia aos lindos vídeos que Alanna fizera para mim e chorava — conta Mike. — No terceiro dia da corrida, meus colegas de equipe que dividiam a tenda comigo me perguntaram: "Por que você ainda não a pediu em casamento? Ela é maravilhosa. Não deixe que ela escape, companheiro!"

No que ele descreve como uma "inspiração de proporções bíblicas", Mike percebeu que eles estavam certos: já era hora de pedi-la em casamento. Entre uma corrida e outra, ligou para o pai de Alanna para pôr seu plano em movimento.

Quando seu avião aterrissou em Londres, Alanna o aguardava, junto com muitos amigos e parentes do casal. Todos pensavam ter sido convidados para dar as boas-vindas ao cansado mas vitorioso Mike, que correra quase 250km em seis dias. Mike passou pelo portão de desembarque e, no momento em que pôs os olhos em Alanna, se ajoelhou e fez o pedido, na frente de todos (incluindo muitos dos outros corredores e centenas de outros passageiros surpresos). É claro que ela respondeu com um "sim" sonoro, do fundo do coração.

Antes de conhecer Alanna, Mike havia acabado de terminar uma jornada de motocicleta de Nova York até São Francisco e estava ansioso para fazer outra viagem grande como aquela. Ao mesmo tempo em que conversavam sobre essa ótima ideia, Alanna e Mike também vinham discutindo sobre as estatísticas perturbadoras de que metade dos casamentos termina em divórcio. Começaram a se perguntar por que algumas uniões prosperam enquanto outras fracassam. Então, em vez de planejarem uma lua de mel romântica em algum lugar com muito sol, diversão e drinques com guarda-chuvas de papel, resolveram partir numa viagem para entrevistar casais – de Anchorage, no Alaska, até Ushuaia, na Argentina, a outra extremidade da América. Seu objetivo era descobrir as respostas intrincadas para nossos dilemas maritais coletivos e, se tudo desse certo, produzir um documentário interessante e divertido.

Partiram em sua aventura no dia 21 de junho de 2009, numa motocicleta russa com um *sidecar*. Atulhados num micro veículo com uma câmera de vídeo, um tripé, equipamentos, roupas e dois laptops, Mike e Alanna sentiam-se numa lata de sardinha, mas sua disposição e empolgação eram tamanhas que só conseguiam pensar em afundar o pé no acelerador rumo ao desconhecido.

Nos 207 longos dias e noites que se seguiram, eles percorreram 15 países, gravaram 120 entrevistas com casais das mais variadas idades e origens e completaram sua jornada, por fim, no dia 26 de fevereiro de 2010.

Ao longo de três anos de namoro, Mike e Alanna conheceram bem os hábitos e manias um do outro e perceberam que teriam que aturar alguns desses costumes, já que nenhum dos dois parecia muito disposto a mudar.

— Mike tem uma característica que sua mãe define como obstinação, e eu chamo apenas de "modo trabalho do Mike" — explica Alanna. — Desde criança, ele sempre teve uma capacidade tão grande de se concentrar que nada pode contê-lo quando ele fixa sua atenção em algo. Em seu mundo, nada mais existe. O foco de Mike é tamanho que ele exclui todo o resto, e quando ele entra no modo trabalho, é impossível alcançá-lo.

Um exemplo disso é quando ele está no meio de uma tarefa doméstica e ela o interrompe para lembrá-lo de que eles têm um compromisso e precisam sair de casa em vinte minutos. Ela volta a chamá-lo em dez minutos, ele diz "estou indo", e, quinze minutos depois, ela o encontra com a furadeira em uma mão e uma prateleira na outra, tentando explicar que ele "tinha só que terminar de pregar aquela peça na parede".

Ou então quando ela liga para ele no trabalho para avisar que está preparando o jantar e perguntar que horas ele chegará em casa. Algo no trabalho captura a atenção dele, e, duas horas depois, ele ainda não está em casa.

Esse comportamento obsessivo faz com que eles estejam sempre atrasados para tudo e é a fonte da maioria das brigas do casal, causando grande frustração em Alanna.

A maior reclamação de Mike sobre a esposa é de natureza bem diferente. Ele a apelidou de "Lanna Linguaruda" porque ela fala o tempo inteiro, principalmente quando ele está tentando falar. Alanna tem tendência a TDAH, um grande contraste em relação à precisão e concentração zen de Mike. Ela é incapaz de focar em algo por mais de cinco minutos.

Sabiam que, durante a jornada que estava por vir, seriam forçados a ficar juntos 24 horas por dia, sete dias por semana, por oito meses seguidos. Nenhum dos dois admitiu, mas ambos estavam preocupados, sem ter certeza se conseguiriam conviver com as características mais irritantes do outro – e sobreviver a elas. No entanto, logo descobriram algo incrível.

Em um de seus primeiros dias no Alaska, Mike estava a mil no "modo trabalho" e já havia organizado tudo: a moto, a câmera e todos os demais ingredientes, e tinha até aprendido tudo sobre o equipamento. Além da preparação, ele era quem pilotava a moto. Alanna se sentia inútil, desnecessária, e isso teve um efeito profundo em sua sensibilidade e suas inseguranças.

Após uma conversa muito sincera, perceberam que ela precisava ter um papel mais definido. Já que o sucesso do documentário e da viagem dependia de entrevistas com casais, ficou a cargo de Alanna descobrir os entrevistados. Em pouco tempo ela estava falando com todo mundo, conversando com agentes no telefone para garantir entrevistas com uma variedade de autores e de VIPs, puxando assunto com pessoas nas ruas e até descobrindo casais fascinantes em restaurantes e bares. A cada nova cidade, era ela quem encontrava absolutamente todos os casais a serem entrevistados. Mike percebeu, entusiasmado, que sua "Lanna Linguaruda" possuía a incrível capacidade de conversar com estranhos e compreendê- los a fundo.

— Entrevistamos gente de todos os tipos sobre questões emocionais muito profundas e fizemos perguntas extremamente pessoais a respeito de seus casamentos — comenta Mike. — Alanna, que conduzia as entrevistas, conseguia deixar as pessoas à vontade enquanto falavam sobre assuntos importantes, enquanto eu cuidava da câmera e dos aspectos técnicos.

Alanna viu que podia usar o foco de Mike a favor deles. O dia começava às nove da manhã, e Mike, firme no "modo trabalho", ficava concentrado em pilotar a moto e manter o rumo; às vezes ele pilotava durante impressionantes dez horas em um dia.

— O curioso é que a viagem fez com que eu amasse o "modo trabalho" de Mike mais do que jamais imaginei — conta ela. — Agora tenho um homem que, quando coloca algo na cabeça, não vê nada além de seu objetivo até terminar o trabalho. Distração não faz parte de seu vocabulário. Sendo assim, quando a moto quebrava, ele era capaz de consertá-la ao mesmo tempo em que, como bom cineasta amador, arrumava um meio de deixar o equipamento de vídeo rodando. Ele conseguiu até escrever e-mails em espanhol.

Agora, além de saber lidar com essa característica do marido e usá-la em benefício de ambos, o mais importante é que Alanna passou a amar esse lado de Mike:

— Durante a viagem, funcionamos brilhantemente bem juntos. É uma bênção que ele seja tão dedicado e comprometido com o trabalho, já que eu sou uma cabeça de vento distraída! Sem querer soar sentimental, acho que isso fará dele um ótimo pai! Ele vai virar um trocador de fraldas profissional, e aposto até que vai querer construir uma casa na árvore!

Hoje em dia, quando Alanna percebe que Mike está perdido em seu próprio mundo, ela aprendeu formas de trazê-lo de volta ao planeta Terra com suavidade quando precisa dele.

Mike, por outro lado, admite que, quando a viagem chegou ao fim, ele entendeu o valor da "Lanna Linguaruda":

— A habilidade e a vontade de Alanna de se conectar com gente de todos os tipos foi de extrema importância. Jamais teríamos conseguido sem seu incrível dom para lidar com pessoas.

Antes, vivia pedindo desculpas às pessoas por causa da tagarelice dela, algo que não faço mais — diz ele.

Hoje eles são como *yin* e *yang*, e um termina as frases que o outro começa. Alanna está escrevendo um livro sobre a maravilhosa e divertida aventura do casal, enquanto Mike edita o documentário e registra sua empolgante jornada de uma vida.

Imagine um mundo em que, como os casais deste capítulo, fôssemos capazes de ouvir de verdade o que o outro tem a dizer. Peggy La Cerra acredita que somos capazes de exercitar nossa habilidade como ouvintes e desenvolver conscientemente um entendimento melhor sobre a experiência do outro – sentir o que eles sentem e expandir nossa "teoria da outra mente". Para isso, ensina o seguinte exercício:

EXERCÍCIO:
Visitando a realidade do outro

Separe um tempo em que vocês estarão sozinhos por duas horas ou mais – pode ser durante uma refeição, uma caminhada ou mesmo tarefas cotidianas.

A primeira hora será para que você visite a realidade de seu companheiro. A tarefa dele é contar a você a perspectiva dele a respeito de tudo o que estiver fazendo nesse momento. O seu trabalho é ouvir com muita atenção para ganhar maior compreensão sobre as experiências de seu parceiro. Seu papel será essencialmente observador, e você deve fazer perguntas relevantes para que possa entender seu companheiro melhor, partindo do ponto de vista *dele* ao invés do seu. Essa prática de amor não comporta julgamentos ou críticas, e, a qualquer momento, ambos estão livres para sugerir outras formas, através das quais um pode interagir com o outro.

Ao fim da primeira hora, invertam os papéis e incentive seu companheiro a entrar na *sua* realidade.

Cada vez que fizer o exercício, sua habilidade de ouvir e *sentir* o outro ficará mais forte e profunda.

Reconhecer que cada indivíduo é único, aprender a trabalhar seu *yin* e *yang* e desenvolver sua capacidade de "sentir" o outro são habilidades Wabi Sabi essenciais. Ao cultivá-las, somos capazes de estar mais presentes nas horas em que precisamos ter conversas sérias com nossos companheiros. Desenvolver a habilidade de escutar com todos os nossos sentidos fortalece a confiança e faz com que o casal tenha mais amor e compaixão ao conversar sobre o bom, o mau e o feio. Quanto maior a nossa habilidade de ouvir o dito e o não dito, mais abrimos a porta para a verdadeira intimidade.

SEIS

Nunca é tarde demais

"Quando os japoneses consertam algo que está quebrado, preenchem as rachaduras com ouro. Eles acreditam que o que foi danificado e tem uma história fica mais bonito." —
Barbara Bloom

Quando caminhamos em direção ao altar, ansiosos pela união eterna com nossas almas gêmeas, nunca pensamos no que aconteceria caso tudo desandasse ou em como lidaríamos com uma possível falta de honestidade de nosso companheiro. A maioria de nós se deixa levar pelos ideais românticos de um relacionamento longo e monogâmico, como um casal de cisnes ou de castores.

No entanto, ninguém consegue escapar do toque do divórcio.

Meus pais se divorciaram quando eu tinha 16 anos. Estava passando pelo turbilhão da adolescência e não me lembro de ficar muito envolvida na situação e ser muito afetada por ela. Afinal de contas, eu reprimi bastante minhas emoções e vivia distante da realidade. O consumo de muita erva e outras formas de indulgência respondem pela minha falta de noção a respeito do meu estado emocional quando meus pais se separaram.

O próximo divórcio com que tive contato me deixou arrasada. Debbie, minha irmã, era casada com um médico judeu bonito, formado por uma universidade de prestígio, e eles tiveram um lindo menino antes de seu primeiro aniversário de casamento. Foram morar numa casa muito bonita com vista para o mar e sempre me convidavam para jantar. Lembro um dia em que fiquei muito impressionada com o aparelho de jantar (nada de pratos desaparelhados!) e com as finas galhetas italianas para óleo e azeite feitas à mão. Também era muito impressionante o fato de ele passar todos os dias no consultório atendendo pacientes e ainda trabalhar muitas noites e fins de semana, esforçando-se ao máximo para sustentar sua nova família. Debbie estava ocupada o tempo inteiro cuidando do bebê, fazendo compras, cozinhando e decorando sua linda casa nova. Das taças de vinho de cristal ao carro novinho em folha na garagem, tudo na vida deles parecia brilhante. No entanto, antes do segundo aniversário de casamento, veio o fim do relacionamento e de sua convivência que parecia ser tão feliz. Na teoria, eram perfeitos um para o outro; na prática, eram duas pessoas diferentes com visões do futuro e sonhos totalmente incompatíveis.

Minha irmã se tornou um poço de emoções e ficou quase imobilizada pela dor. Num momento, ela ficava triste e desapontada e chorava por horas, e em outro, ficava furiosa e cheia de ódio. Sentia-se amedrontada, impotente e, em certas ocasiões, muito perdida. Seus sonhos idílicos da família perfeita, aquela que ela sempre quisera, foram estilhaçados num piscar de olhos. Sua fé e determinação em curar seu coração eram as únicas coisas que a sustentavam. Ainda tinha coragem para criar a melhor vida possível para si mesma e para seu filho enquanto demonstrava estar comprometida em se curar. O que ela mais queria era encontrar uma forma de continuar amiga de seu ex-marido, para que a guarda compartilhada do filho fosse a mais harmoniosa possível. Ela, inclusive, transformou (ao melhor estilo Wabi Sabi) as lições aprendidas ao longo desse processo doloroso, mas iluminador, em seu *best-seller Divórcio espiritual: o divórcio como catalisador para uma vida extraordinária*.

Princípio Wabi Sabi

Até mesmo nos momentos mais obscuros e perigosos de um casamento, a cura é possível quando a verdade vem acompanhada de sinceridade e vulnerabilidade.

Ao longo dos meses que se seguiram, acompanhei, como um castelo de cartas, o desmoronamento da existência de vários outros amigos que passaram por divórcios arrasadores; eles também sentiram vários graus de raiva, medo, dor, impotência, tristeza e luto, e a intensidade dos sentimentos parecia ser a mesma entre aqueles que terminaram com seus parceiros e aqueles que sofreram a rejeição. Consciente das agourentas estatísticas do divórcio, comecei a me perguntar se era possível haver uma parceria para a vida toda. Será que o amor Wabi Sabi seria capaz de curar essas feridas? Essa era mesmo a resposta verdadeira para casais à beira do precipício?

Procurando respostas para minhas perguntas urgentes, acabei fazendo a mais bela das descobertas. Há, sim, casais que cambaleiam nos limites do desastre e então recobram o equilíbrio, e sua união renovada fica mais forte, poderosa e rica. Você conhecerá casais que são exemplos da mudança fundamental que acontece quando um relacionamento construído sobre mentiras evolui para um relacionamento construído sobre verdades. Aprendi com essas pessoas que todos cometemos erros, às vezes pequenos, às vezes incomensuravelmente graves. Mas o Wabi Sabi pode nos ajudar a confrontar e resolver cada um deles com honestidade.

Os casais a seguir são provas vivas de que um verdadeiro artesão Wabi Sabi aprende que pode haver luz até mesmo no final do túnel mais escuro.

O perdão do coração

Fazia quase três anos que Jean-Paul era amante, melhor amigo e alma gêmea de Mia. Tinham três filhas e, por formarem um casal muito feliz, Mia esperava que seu amor durasse para sempre.

Em 1999, Jean-Paul ia à Venezuela a trabalho com muita frequência. Embora sentisse saudade do marido, suas longas ausências fizeram com que Mia percebesse que estava perdendo um pouco de sua paixão e começando a valorizá-lo menos do que deveria. Havia uma parte dela que esperava por uma centelha que gerasse uma melhora em seu relacionamento.

Um dia, assim que Mia avistou Jean-Paul no aeroporto de Dallas, sentiu que algo estava errado. Ele estava distraído e tinha uma certa tensão no maxilar, o que deixou Mia apreensiva.

Na viagem de carro para casa, pairava entre eles uma frieza assustadora.

Nos dias seguintes, quase não falaram um com o outro até que Mia perguntou a Jean-Paul:

— O que está incomodando você?

Ela repetiu a pergunta algumas vezes ao longo da semana, e ele sempre dava a mesma resposta:

— Nada.

Mas a intuição dela era muito forte, e, lá no fundo, ela sabia que algo havia acontecido na Venezuela e estava determinada a descobrir a verdade.

Um dia, sentindo que sua mente era uma casca de ovo prestes a se quebrar, ela o encurralou na cozinha e desabafou:

— Jean-Paul, sei que algo aconteceu na Venezuela. Eu só quero saber duas coisas: o nome dela e como ela é.

Ele respirou fundo e inclinou o corpo para trás, estudou a paisagem no rosto da esposa por algum tempo, e enfim respondeu:

— Como assim? Do que você está falando? — As pálpebras dele tremeram.

Ela inspirou profundamente antes de continuar.

— Você pode me contar — assegurou ela. — Converse comigo, sua *amiga*, não sua esposa.

Ele vacilou enquanto absorvia as palavras da esposa. Deveria contar a ela que estava tendo um caso com sua secretária, Efelia, uma mãe solteira de 34 anos com uma história de vida trágica? Reunindo coragem, explicou à esposa que o relacionamento começara como uma simples amizade, mas que nas semanas anteriores havia evoluído para algo mais profundo.

O coração de Mia afundou de tanta dor. Ela ficou imóvel enquanto o marido descarregava o que havia em sua alma e não ousou dizer palavra. Jean-Paul contou das tragédias da vida de Efelia: o suicídio de seu pai, a morte do namorado por infarto, o relacionamento com um homem que a engravidou e foi embora para se casar com outra mulher. Mia percebeu que Jean-Paul sentia pena da mulher, e que estava confundindo esse sentimento com amor.

Arrasada e devastada, nos dias seguintes, Mia alternou entre ficar chorosa e irada. Um dia, num ataque de raiva, quebrou cada prato e cada copo ao esvaziar a lava-louças. Apesar de sua ira interior, fez o que pôde para não deixar que Jean-Paul visse a extensão de sua dor. Queria lutar para salvar seu casamento e, ao mesmo tempo, queria que o marido se sentisse livre para deixá-la se esse fosse seu real desejo. Ela disse a Jean-Paul que ele merecia ser feliz e que, se isso significasse estar com outra pessoa, ela não ficaria em seu caminho.

Jean-Paul estava em uma grande encruzilhada e precisava tomar uma decisão que mudaria sua vida para sempre.

— A reação de Mia, cheia de compaixão, me tirou do meu estupor — admite ele. — Sabia, no fundo do coração, que era com ela que eu queria ficar.

Compromissos profissionais exigiram que ele voltasse à Venezuela algumas semanas depois. Antes de partir, prometeu à esposa que não voltaria a se relacionar com Efelia. Mia queria acreditar nele e rezou para que ele conseguisse cumprir sua promessa. Acreditando que o amor que compartilhava com o marido era "sagrado", ela decidiu exercitar sua paciência apesar das dúvidas.

Sentado na frente de seu portão no aeroporto, Jean-Paul sentiu sua determinação crescer, e pretendia dizer a Efelia que o caso deles estava terminado no momento em que aterrissasse na Venezuela. Até enviou um e-mail para Mia do aeroporto de Dallas, dizendo que odiava a si mesmo por ter causado tanta dor e reafirmando que ela não era culpada pelo desvio dele. Nada poderia impedi-lo de provar seu amor por Mia.

O que aconteceu em seguida deixou Jean-Paul sem ar. Quando chegou em Caracas, Efelia revelou que estava grávida. Havia apenas algumas horas, ele prometera à esposa que tudo estaria terminado entre ele e a amante, e agora descobria que estaria ligado a Efelia até o fim de sua vida através da criança que ia nascer. Ela disse que não planejara a gravidez, e ambos admitiram que haviam sido descuidados. Nenhum dos dois quis sequer pensar em aborto.

Jean-Paul não podia estar mais infeliz. Naquela mesma manhã ele havia recebido um e-mail da esposa, dizendo que ela o amaria para sempre, e agora ele teria que partir seu coração mais uma vez com a notícia de que seria pai.

A reação de Mia foi conforme Jean-Paul antecipara. Seus sentimentos de dor, raiva, humilhação e desespero eram excruciantes. Dividida entre a vontade de salvar seu casamento e o medo de que o bebê fizesse com que Jean-Paul ficasse preso a Efelia – e cada vez mais longe dela para o resto da vida –, Mia lutou contra seus sentimentos de perda e confusão.

Jean-Paul desculpou-se o quanto pôde enquanto proclamava seu amor por Mia e implorava o perdão da esposa. Ao mesmo tempo, ele conversou com Mia sobre como ter um filho aos 53 anos estava fazendo com que ele se sentisse jovem de novo e afirmou que pretendia dar à criança seu sobrenome e seu apoio financeiro.

Mia rezava para encontrar forças que a ajudassem a superar aquele pesadelo. Tentou fazer as pazes com a situação; fez de tudo para tirar seu humor da espiral descendente em que se encontrava e ganhar mais confiança. Para ajudá-la a enfrentar a situação e distraí-la do sofrimento, ofereceu-se como voluntária em um abrigo para mulheres vítimas de abuso. Assim, percebeu que sua dor era apenas uma sombra perto do que as mulheres no abrigo haviam sofrido. As perdas sofridas por elas eram muito maiores. De algum lugar no fundo do coração de Mia, veio a percepção de que ela havia conseguido exatamente aquilo que pedira durante as longas ausências do marido: a centelha para motivá-la a renovar seu amor por ele. Do fundo de sua alma, ela decidiu perdoá-lo por completo.

Um dia, escreveu em seu diário uma prece que serviu como o ponto da virada em seu processo de cura:

"Senhor, peço que me use.

Livre-me de meus medos, minha arrogância, meus defeitos, minha ignorância,

E use-me para servir àqueles que cruzarem meu caminho.

Na alegria e na tristeza. No ódio ou no amor.

Use-me, Senhor. Do jeito que quiser."

Alguns meses antes de Efelia dar à luz, Jean-Paul foi transferido permanentemente para a Venezuela. Mia concordou em ir com ele, mas sempre que pensava em estar em um espaço físico mais próximo da ex-amante de seu marido e do bebê que estava por vir, sentia-se dominada por novos graus de medo. Sabia que aquele seria um dos maiores desafios que enfrentaria em sua vida, mas estava determinada a aceitar a filha de Jean-Paul e apoiar a decisão do marido de incluí-la em suas vidas. Por sorte, Efelia tinha um bom coração e até escreveu uma carta para Mia, dizendo que, durante o curto período em que ela e Jean-Paul ficaram juntos, ele havia confessado seu grande amor pela esposa. No fundo de seu coração, Mia sabia que seu marido a amava, e a crise que quase arruinou seu casamento o inspirou a encontrar novas formas de demonstrar seu amor de forma contínua e sincera. Ele também cumpriu sua palavra e nunca mais se relacionou com Efelia.

Depois do nascimento de Sabrina, a filha de Jean-Paul, Mia disse ao marido que ele poderia passar o tempo que quisesse com a bebê, pois ela percebeu que o amor dele pela filha não subtraía em nada o amor e a conexão profunda que eles tinham. Na verdade, de certa forma, a chegada do bebê engrandeceu suas vidas e fortaleceu o amor dos dois. Durante os dois anos em que o casal viveu em Caracas, Sabrina passou quase todo fim de semana com eles. Após a volta do casal para os Estados Unidos, ela passou a visitar suas meias-irmãs com frequência, e, embora ela fale pouco de inglês, tem um contato muito próximo com a família.

— Essa experiência complicada e dolorosa fez de mim a pessoa que sou hoje — diz Mia. — Jean-Paul e eu ainda estamos juntos porque eu soube perdoar do fundo do meu coração. Percebemos que o meu perdão fez com que nós dois nos curássemos num nível muito profundo, e nosso amor se tornou mais vibrante, apaixonado e sagrado do que nunca, ganhando uma importância e uma força maior do que eu e Jean-Paul acreditávamos ser possível.

Princípio Wabi Sabi

O pedido sincero de desculpas por um erro e o perdão são as fundações de um relacionamento saudável e duradouro.

Quando Mia me contou sua história, a primeira coisa que pensei foi "Nossa, como ela é corajosa e incrivelmente forte!" Ela se permitiu sentir e expressar, em toda sua plenitude, a raiva e a dor causadas pela situação e, ao mesmo tempo, manteve o foco naquilo que sabia ser verdade no fundo de seu coração: que ela e Jean-Paul tinham sido feitos um para o outro e que deveriam continuar juntos. Com grande clareza Wabi Sabi, Mia comprometeu-se a fazer o que fosse necessário para renovar o compromisso e o envolvimento em seu casamento, e, apesar do medo, ela saiu triunfante da crise causada pelo caso extraconjugal de Jean-Paul, com o coração aberto e uma resolução clara.

Mia aprendeu que a única coisa que ela pode controlar é a própria reação às circunstâncias. A vida é algo que não podemos controlar – assim como as condições do tempo.

Princípio Wabi Sabi

Um artesão Wabi Sabi busca uma visão panorâmica da situação antes de reagir. Uma mudança de perspectiva pode mudar tudo.

Estou muito acostumada a padrões climáticos loucos. Afinal, passei minha tempestuosa adolescência no sul da Flórida, onde quase todo dia há temporais tropicais, tempestades elétricas e até chuvaradas em pleno sol. A não ser que você seja um meteorologista ou um fazendeiro munido de um almanaque e um profundo conhecimento de suas terras, é quase impossível prever as condições do tempo.

Lembro de um dia em particular em que estava vendo da janela os rios de chuva torrencial que escorriam pelos vidros. O céu estava carregado de nuvens baixas de um cinza tão escuro que pareciam ter um quilômetro de espessura. De onde estava, julguei que a chuva ainda duraria horas. Planejara sair para correr no campo de golfe, mas como parecia que a chuva estragaria meus planos, decidi ver um pouco de TV para passar o tempo. Ao chegar na sala de estar, do outro lado da casa, vi que o cômodo estava banhado em sol. Confusa, abri a porta dos fundos e fiquei pasma ao constatar que, no quintal, fazia sol e o céu estava aberto. Como era possível que o tempo pudesse mudar de forma tão dramática em um espaço de apenas uns quinze metros? Em questão de minutos, o sol também brilhava na parte da frente da casa.

Sempre penso naquele dia quando estou presa sob as nuvens cinzentas de uma situação que parece fora do meu controle. Minha mente tenta me convencer de que não há como escapar, e, no entanto, quando mudo o meu ponto de vista, todo o panorama se modifica num instante.

O amor Wabi Sabi é capaz de resgatar relacionamentos depois de grandes erros devastadores, mas não é apenas isso: também pode insuflar vida nova em relacionamentos que ficaram monótonos e desbotados com o tempo. Como veremos na próxima história, Susan estava convencida de que o divórcio era a única solução para seu casamento frio, tempestuoso e sem o colorido de um arco-íris. No entanto, quando ela menos esperava, uma mudança completa de cenário e um novo ambiente transformaram sua vida para sempre.

Redescobrindo *La dolce vita*

Desde o momento em que se conheceram, Susan adorou o espírito de Tim. Estava sempre fazendo piadas, e ambos tinham uma predileção por humor sarcástico e inteligente. Estudavam na universidade de Dayton e moravam no mesmo alojamento; eram conhecidos casuais que, aos poucos, passaram a se conhecer cada vez mais a fundo. Atraíram-se como ímãs por causa do humor e de valores afins, e após um namoro de cinco anos, eles se casaram. As risadas foram, de fato, a trilha sonora de seus primeiros dias juntos.

Tim trabalhava com vendas e manutenção de rádio e estava construindo uma bela carreira rapidamente. Susan era professora e, com os dois filhos pequenos do casal, a vida foi ficando mais complicada conforme Tim galgava os degraus para se tornar um homem poderoso e respeitado em sua área de atuação. Seu trabalho exigia que eles se mudassem com frequência, levando-os para Atlanta, Charlotte, Washington, DC, e, por fim, Los Angeles.

— Naquela época, nós nos mudávamos muito, não apenas para outras cidades, mas também para outras casas dentro de uma mesma cidade — relembra Susan. — Lembro que pensava em várias ocasiões: "Não era isso o que eu esperava".

A mudança para Los Angeles marca o momento em que o casamento começou, de fato, a implodir. Não demorou muito para que eles se acomodassem, sem perceber, no estilo de vida fatigante e corrido.

Susan e Tim, ambos vindos de famílias simples, com valores fortes, e de comunidades pequenas e unidas, agora estavam em um ambiente opulento e altamente materialista. Todos os dias, Tim passava duas horas cansativas preso no trânsito para ir trabalhar, além de sofrer as pressões do mercado de rádio local, muito competitivo por ser o maior dos EUA. Susan era tão ocupada quanto o marido como dona de casa, imersa até o pescoço na rotina dos filhos, levando-os pelas engarrafadas ruas do subúrbio de Los Angeles e trabalhando, ao mesmo tempo, em seu mestrado.

Nos cinco anos seguintes, a maior parte da intimidade e da conexão, tão preciosos outrora, já havia desaparecido. Conforme suas responsabilidades aumentavam, eles se distanciavam mais e mais, e antes que se dessem conta, não restava quase nenhuma conexão ou compreensão entre eles.

Tim achava que Susan não o apoiava o suficiente em sua exigente carreira, e Susan sentia que Tim não a valorizava o suficiente e não entendia como era desgastante cuidar da casa e de cada necessidade de seus dois filhos pequenos. Apesar de algumas tentativas de resolver o problema com terapia de casais, a situação só piorava, e Susan começou a sentir algo que ela descreve como uma tristeza "no nível da alma". Foi com grande pesar que ela agendou uma consulta com um advogado para dar fim ao seu casamento de 18 anos.

— Chegamos ao fundo do poço emocional, depois de uma série de discussões e brigas homéricas sobre qual dos dois trabalhava mais, qual dos dois ignorava mais o outro, qual dos dois era melhor pai ou mãe, qual dos dois gastava mais dinheiro e qual dos dois simplesmente não se importava mais com o casamento.

Alguns dias depois de sua visita secreta ao advogado, Tim pediu a Susan que o ajudasse a planejar e o acompanhasse numa viagem de negócios de seis dias à Riviera Italiana, pajeando quarenta de seus clientes por hotéis chiques, bons restaurantes e os melhores passeios em Florença e Portofino. Representar o papel de esposa devota não era novidade para Susan, e ela concordou em ir, certa de que aquela seria sua última apresentação como esposa-modelo – além disso, conhecer a Itália tinha seu próprio apelo.

Como ela reconta em seu livro, *Halfway to Each Other: how a Year in Italy Brought Our Family Home [Caminhos cruzados: como um ano na Itália reaproximou nossa família]*, a Itália foi amor à primeira vista. Susan ficou surpresa com a forma com que seu coração se abriu enquanto ela caminhava pelas encantadoras ruas antigas de Florença, cercada pela beleza magnífica das basílicas e pela arte. Após anos vivendo sob uma cúpula de desespero, ela sentiu uma mudança acontecendo em sua alma.

No quarto dia da viagem, Susan acordou ao nascer do sol. Estavam hospedados num pequeno hotel na costa de Santa Margherita. Mesmerizada pela vista grandiosa, pela leve brisa do mar e pela luz cativante da manhã que brincava nas ondas, sentiu-se estranhamente calma e resolveu acordar Tim para que ele apreciasse o momento com ela.

Sentaram-se na varanda com seus cafés, absorvendo a beleza que os cercava. Foi quanto Tim disse:

— Eu gostaria de morar aqui.

— Eu também.

— Não, é serio, eu realmente gostaria de viver aqui.

Com essas palavras proféticas, começou uma conversa séria sobre um novo começo, e eles admitiram a possibilidade de se mudar para a Itália.

Faltando apenas dois dias para o fim de sua viagem, bolaram um plano bem específico. Se encontrassem uma escola americana nas redondezas e um apartamento mobiliado por um preço razoável, interpretariam aquilo como um sinal de que deveriam mergulhar de cabeça nessa decisão corajosa, mas com grande potencial desastroso. Mudar-se para outro país é considerado uma medida arriscada mesmo em casamentos felizes e saudáveis.

No fim daquela tarde, apesar de nenhum dos dois falar italiano, haviam encontrado uma Escola Internacional que, por acaso, tinha duas vagas (uma para cada um de seus filhos: Katie, de 14 anos, e Matt, de 10). O diretor da escola indicou um corretor imobiliário que garantiu ter o apartamento perfeito para eles.

— Visitamos um apartamento amplo, arejado e bonito — lembra Susan —, e todos os cômodos tinham vista para o mar. Com três quartos, três banheiros e três varandas, não podia ser melhor.

Uma hora depois haviam assinado os papéis de aluguel, e, por um ano, a Itália seria seu novo lar!

Ao voltar a Los Angeles, Tim pediu demissão, eles venderam a casa e levaram seus pertences para um depósito. Em dois meses, estavam morando na pequena cidade de Nervi, perto de Portofino. Seus amigos se perguntaram se eles haviam perdido o juízo.

A aventura trouxe muitos altos e baixos. Cercados de pessoas que só falavam italiano e uma cultura estranha para eles, tarefas cotidianas como pegar um ônibus ou fazer compras tornavam-se verdadeiros quebra-cabeças a resolver. As vantagens da boa vida a que estavam acostumados, como ter carro, lojas cheias de suas comidas semiprontas favoritas, TV a cabo com 500 canais, foram logo substituídos por longas caminhadas, jogos de tabuleiro e novas aventuras gastronômicas. Mais importante, começaram a aprender a trabalhar próximos e de forma eficiente, e a funcionar como um time.

— Tínhamos que falar um com o outro porque mais ninguém à nossa volta falava inglês — conta Susan. — Todos os dias eram engraçados, assustadores, dolorosos e maravilhosos. Não sabíamos o que estávamos fazendo... e cada novo dia trazia uma nova tarefa que parecia impossível.

Uma semana após a mudança, Susan viveu um momento de graça enquanto limpava o chão com um esfregão e ouvia ópera:

— Estava olhando pela janela, observando os telhados de telhas vermelhas, as igrejas e o mar à distância, e me senti dominada pelo sentimento de beleza e graça daquele momento. Fechei os olhos e fiz uma prece. Agradeci a Deus por todas as nossas bênçãos, por nos guiar até a soleira daquela nova oportunidade e por nos conceder a coragem de cruzá-la. Eu havia feito minha paz com o fato de que Tim e eu estávamos nos sentindo incompletos e frustrados com nosso casamento, e não queria mais viver sob o peso da negatividade e da culpa. Ao invés disso, escolhi abraçar a esperança, sabendo que estávamos fazendo alguma coisa para melhorar a situação. Sentia que estávamos nos debruçando na borda de um ano cheio de momentos melhores.

Numa manhã, quando a aventura já durava uns seis meses, Tim anunciou para Susan que queria mostrar a ela uma nova cidade que havia descoberto. Deixaram as crianças na escola e pularam num trem em direção a Camogli.

— Quando chegamos lá, descemos as escadas que levavam à costa e encontramos à nossa frente uma impressionante aldeia de pescadores, cheia de cores e formas — diz Susan. — Perambulamos pelas ruas até que encontramos um pequeno café perfeito para sentar e observar as pessoas. Sentada ali com Tim, tomando um *cappuccino*, senti-me tomada por um grande sentimento de paz e entendi que, de uma forma não verbal, havíamos perdoado um ao outro por não sermos perfeitos e redescoberto a euforia e a conexão profunda do início de nosso relacionamento. Então eu soube que um milagre havia acontecido. Estávamos simplesmente felizes juntos, e, pela primeira vez em muito tempo, senti que tudo ficaria bem.

Ao fim daquele ano, decidiram voltar para casa. Embora não fizessem a menor ideia de onde iriam morar, não houvesse empregos à sua espera e precisassem encontrar uma nova escola para as crianças, Susan não sentiu medo algum.

— O futuro era incerto, mas éramos uma família unida, e nada mais importava — diz ela. — Éramos quatro pessoas que sabiam que precisavam trabalhar juntas para conseguir as coisas e, o mais importante, que precisamos compartilhar os presentes que recebemos da vida com aqueles que amamos.

Seis anos se passaram, e hoje eles vivem felizes em Scottsdale, no Arizona, e sua família está intacta. Tim realizou seu sonho de abrir sua própria empresa, e Susan dá aulas numa escola primária e é escritora *freelance*.

— Na Itália — conta Susan —, aprendemos a aceitar o outro como ele é, longe dos bens materiais que nos cercavam em Los Angeles, e descobrimos que completamos um ao outro de muitas maneiras. Aprendemos que o atrito é inerente à vida a dois e passamos a ver esse atrito como uma fonte de energia, e não necessariamente de problemas. Eu aprendi que relacionamentos são uma questão de transformação e renovação, de dar ao outro o oxigênio do qual ele precisa para respirar, o sol para crescer e mesmo a chuva para regar o solo.

A Itália exala Wabi Sabi... Os prédios antigos e castigados pelo tempo, com fachadas desbotadas, que ficam ainda mais belos a cada década que passa e a cada pedaço de tinta que descasca. A mudança para aquele país deu a Tim e Susan o tempo e o espaço de que precisavam para redescobrir a si mesmos como indivíduos, como casal e como família. Eliminando seu antigo estilo de vida que consistia em comprar cada vez mais quinquilharias e trecos brilhantes, eles se adaptaram ao estilo italiano de vida, mais lânguido e sensual, e o amor floresceu entre eles nesse processo.

O modo incomum através do qual Tim e Susan salvaram seu casamento prova que realmente existe graça quando confiamos em nossa intuição. Susan confiou em si mesma quando concordou em ir com Tim àquela viagem de negócios, e ambos confiaram em seus instintos quanto tomaram a decisão impulsiva de arriscar tudo por uma nova vida na Itália. Wabi Sabi fala sobre abraçar a incerteza e estar disposto a ter fé naqueles momentos em que parecemos não saber de nada.

Princípio Wabi Sabi

Abra a sua torneira da intuição. Quando você escuta com o coração, você também vê com o coração.

Mas o que acontece quando sua sabedoria interna manda mensagens aparentemente conflitantes? A próxima história, que pode ser difícil de ler para alguns, nos oferece uma perspectiva importante sobre o amor Wabi Sabi, uma perspectiva que envolve discernimento e responsabilidade, compaixão e perdão até as últimas consequências.

Mentiras, traição e a redescoberta da felicidade

Jay, um terapeuta bem-sucedido, já tinha visto muitos de seus pacientes chegarem ao fundo do poço, jornada que ele sabia ser essencial para que alguém começasse seu verdadeiro processo de cura. Só que ele esperava nunca ter de passar por essa jornada. O fundo do poço chegou para Jay após o divórcio, quando ele estava no banheiro de seu apartamento em Tulsa, no Oklahoma, e observou os próprios olhos no espelho. Ele não gostou nem um pouco do que viu: era como se estivesse olhando para um completo estranho.

No fundo, ele sabia ser 100% responsável pelos eventos que culminaram em sua "noite escura da alma".

Em 1997, um amigo em comum o apresentou àquela que seria sua esposa, Julie, uma estonteante modelo e ex-miss. A atração foi imediata, desde o momento em que se conheceram, e após um breve noivado, casaram-se numa cerimônia simples em Eureka Springs, no Arkansas. O casal feliz estava cercado por amigos e familiares próximos, incluindo o filho de Jay do primeiro casamento. Sua vida juntos começou com a certeza de que aquele seria um "casamento perfeito", um "casamento para a vida inteira".

O casal se concentrou em comprar uma casa nova, engravidar e passar bastante tempo com o filho pequeno de Jay. Um ano e meio após o casamento, veio ao mundo sua primeira filha, para a alegria do casal, e, dois anos depois, sua segunda filha chegou, com a mesma fanfarra.

Jay ficou obcecado em sustentar sua família e construir seu negócio como terapeuta, trabalhando durante o dia num hospital pediátrico e recebendo pacientes particulares durante a noite. Em menos de um ano, estava atendendo de 40 a 50 pacientes por semana, trabalhando 12 horas por dia e ganhando reputação por conseguir bons resultados com pacientes difíceis.

— Queria fazer de tudo para que Julie tivesse todos os bens materiais de que precisasse para ser uma boa mãe — disse ele. — Preferi deixar de lado minhas próprias necessidades para que minha família tivesse tudo o que quisesse e, é claro, esperava que isso me trouxesse o amor e a aprovação que tanto desejava.

No entanto, sob o ponto de vista de Julie, Jay dava tudo de si no trabalho não pelo bem de sua família, e sim pelo seu próprio desejo arraigado de ser rico e famoso:

— Eu conhecia o suficiente do jargão da psicologia para me perguntar se ele não era um narcisista benevolente que buscava afirmação para preencher seu próprio buraco negro insaciável. Em termos mais simples, eu me perguntava se ele não era mesmo um babaca.

Jay começou a se sentir julgado, criticado, desvalorizado e rejeitado, e acreditava que Julie era dramática, exigente e carente em excesso. Ela, por outro lado, se sentia como uma mãe solteira que tinha que aturar um filho postiço mimado, manipulador e desrespeitoso, e viver uma vida que não supria nenhuma de suas necessidades emocionais. Apesar da turbulência, o amor de Julie por Jay nunca vacilou.

Em apenas alguns anos, a raiva havia substituído a paixão quase por completo. Toda a confiança desaparecera. E mesmo que as fundações do relacionamento estivessem ruindo sob seus pés, eles tiveram um terceiro filho – desta vez, um menino.

— Nesse ponto — lembra Jay —, havíamos deixado para trás nossas contas, nossas responsabilidades e nossos filhos. Meu único objetivo era sobreviver ao meu casamento. Eu não tinha mais nenhuma intenção de investir nele.

Enquanto sua vida doméstica se desintegrava, a carreira de Jay ia muito bem como consultor e *coach* executivo. Ele viajava a trabalho com frequência e sempre arrumava algum tempo para excursões ao mundo fantasioso das casas de *strip tease* e da pornografia.

Numa madrugada, durante uma viagem a Miami, Jay foi ao seu clube preferido e conheceu uma mulher sedutora que usava couro, salto agulha e batom vermelho. Ela foi até ele e se apresentou como Dayanara, e ele se apaixonou por ela no ato.

Jay convenceu-se de que Dayanara era madura e "bem adaptada" porque, aos 26 anos, já havia conseguido se desligar de um relacionamento abusivo. Afinal, pensou ele, ela tinha seu próprio negócio durante o dia e trabalhava em casas de *strip* durante a noite para pagar suas dívidas do cartão de crédito. Apesar de sua experiência como psicólogo, ainda assim ele escolheu representar o papel de cavaleiro resgatando a donzela em perigo.

— Queria tudo o que Dayanara representava: erotismo, liberdade, vitalidade e possibilidade — conta ele. — Eu me senti vivo pela primeira vez em anos.

Logo Dayanara abriu mão de seu trabalho como acompanhante para ocupar um cargo criado especialmente para ela na empresa de Jay. Ele acreditava que podia misturar seu romance e seu negócio, criando o álibi perfeito para viajar pelo país com ela. Convenceu-se de que era só continuar dando tudo do bom e do melhor para sua família que ninguém se machucaria, ninguém precisaria saber, e todos sairiam ganhando. Ele estava errado.

Julie sentiu que havia algo errado e começou a acompanhar de perto os passos de Jay. Ela chegou a acessar a conta de e-mail dele e confrontá-lo sobre a quantidade imensa de mensagens trocadas com Dayanara. Jay fez de tudo para convencer a esposa de que Dayanara era apenas uma funcionária que o estava ajudando a expandir seu negócio, mas Julie continuou sentindo "um forte arrepio de inquietude e desconfiança".

— Eu não tinha nada que contar a verdade para ela — diz Jay. — Via nossas vidas como uma espécie de *quid pro quo* social. Ela podia viver a vida abastada de mãe em tempo integral, morar numa casa grande, dirigir uma SUV nova. Como provedor disso tudo, eu tinha a porcaria do direito de fazer tudo o que quisesse. Do meu ponto de vista, era uma troca justa.

Conforme suas suspeitas cresciam, Julie continuou vasculhando a mesa e os papéis de Jay, buscando evidências de uma traição. Ela descobriu que ele usava o dinheiro do casal para investir em um negócio que Dayanara estava começando e também descobriu um apartamento alugado em nome dele. Encontrou e-mails e mensagens de texto e chegou a esconder um gravador portátil no carro dele. Ele negou tudo e até saiu de casa para fugir da hostilidade da esposa. Pouco tempo depois, ela foi diagnosticada com linfoma.

Julie só conseguia pensar no que aconteceria com seus filhos se ela morresse. Sabia que poderiam acabar tendo Dayanara como madrasta. Naquele instante, ela decidiu que se submeteria ao tratamento mais agressivo possível. O médico alertou que ela ficaria muito doente e fraca, e que passaria longos períodos de cama.

Em um ato de força de vontade, Julie decidiu que não contaria a Jay sobre a real extensão de sua doença. Ela não precisava que ele tivesse pena dela. O que ela queria era seu amor e o que fosse melhor para seus filhos. Ela conseguiu, inclusive, agendar a maioria de suas sessões de quimioterapia de modo que seus filhos estivessem sempre com Jay enquanto ela se recuperava do tratamento.

Perdido em suas próprias necessidades, Jay presumiu que Julie estivesse tentando controlá-lo e que estava mentindo sobre a gravidade de sua doença. Ela não permitia que ele tivesse acesso à sua ficha médica. Aos poucos, perceberam que seu casamento havia terminado. Jay não queria trabalhar no relacionamento, e Julie entendeu que ele não estava disposto a terminar seu caso, então deram entrada nos papéis do divórcio. O negócio de Jay com Dayanara ia bem, e logo começaram a procurar uma casa em Miami.

Nos meses que se seguiram, tudo foi de mal a pior. As crianças viviam chorando, e Julie ainda estava fazendo quimioterapia. Além de brigar com Julie o tempo todo, Jay viu sua relação com Dayanara desmoronar. A ilusão de que ele poderia ter um relacionamento verdadeiro com aquela mulher sedutora da casa de *strip tease* estava começando a ruir. Ele começou a vê-la como o que ela realmente era:

— Ela era o "ferido ambulante". Comecei a perceber que ela tinha necessidade diária e constante de adoração, atenção e sacrifício por parte do homem em sua vida.

Julie, apesar de ainda amar o marido, fez a escolha consciente de seguir adiante. Começou a fazer planos de se mudar com os filhos para Dallas, onde seu irmão morava. Explicou a

Jay que, já que ele só via as crianças duas vezes por mês, a mudança para Dallas não faria muita diferença para ele, enquanto representaria uma melhora na qualidade de vida e uma redução nos gastos da família.

Naquele momento, Julie foi irredutível em sua decisão de fazer algo para si mesma. A quimioterapia fora um sucesso e ela estava pronta para seguir em frente sem Jay. Ele ficou espantado com a força dela.

Foi pouco depois de Julie se mudar para Dallas que Jay se encontrou olhando fixamente para seu reflexo no espelho. Relembrar os eventos que o levaram até ali abalou suas estruturas. Seu cabelo estava empapado de suor, e ele se aproximou do espelho, perguntando-se mais uma vez: "E se eu estava errado o tempo todo? Eu precisava mesmo implodir meu casamento e destruir minha família pra encontrar a liberdade e a felicidade que julgava merecer?"

Uma coisa estava muito clara: tinha que terminar seu relacionamento com Dayanara. Não foi fácil nem simples, mas por fim ele conseguiu romper de uma vez por todas os laços com ela. Quando o processo de divórcio terminou, Jay estava começando a encontrar um interesse renovado por Julie.

Durante esse tempo cheio de incertezas, Jay estava determinado a curar suas questões. Começou a se questionar seriamente sobre seu próprio comportamento e sua própria psique. Pensou em sua infância; ele só queria ser amado, mas, ao invés disso, cresceu em um lar instável e tocado pelo alcoolismo, imerso em abuso emocional, pobreza e violência doméstica. Disso resultou seu medo da intimidade verdadeira. Ele percebeu que sua decisão de ser psicólogo, o salvador dos outros, era uma tentativa desesperada de salvar a si mesmo, uma compensação criativa para sentimentos de inadequação com raízes muito profundas.

Jay compreendeu que era hora de quebrar os padrões de seu passado; já era tempo de evoluir e amadurecer como homem. Nesse lampejo de clareza, percebeu que Julie sempre o amara apesar de si mesmo.

— Eu só não sabia como receber o afeto dela porque não conhecia o amor.

Ele assumiu o compromisso de passar mais tempo com Julie e as crianças, e, depois de declarar suas intenções de dar o melhor de si como amigo e pai, eles até viajaram em família para a Disney, um mês após o fim do processo de divórcio. Com a reaproximação cautelosa de Julie e Jay, foi plantada a semente da cura no relacionamento. Apesar do caos que os cercou por tanto tempo, Julie nunca deixou de amá-lo. No recôndito mais fundo de seu coração, ela sabia que o Jay que havia feito tudo aquilo não era o Jay que ela conhecia e sabia que aquele comportamento não era permanente.

Um mês após o maravilhoso passeio ao Magic Kingdom, Jay estava jantando sozinho no Rick's Café, um lugar que ele costumara frequentar com Julie. Enquanto esperava seu jantar, sentado perto da lareira, foi tomado pela nostalgia. Sentimental, Jay teve uma inspiração divina e, abrindo seu laptop, buscou o lugar em que eles se casaram: a capela de Thorncrown em Eureka Springs. Ao olhar fixamente para as imagens, Jay viajou dez anos de volta no tempo, relembrando a cerimônia de casamento e a lua de mel. Então, com uma sensação quase sobrenatural, seu futuro passou diante de seus olhos como se fosse um filme acelerado: viu imagens perturbadoras de visitas forçadas e férias divididas, formaturas desconfortáveis e todo tipo de situação horrível resultante de sua decisão de abandonar a família. Jay soube, naquele momento, dentro de cada célula de seu corpo, que queria consertar seus erros do passado e lutar por uma segunda chance com Julie. Comprometeu-se a fazer o que fosse necessário para que seu filme tivesse um final feliz.

Num ato de impulso, reservou o chalé em que eles passaram sua lua de mel e conseguiu convencer Julie a passar um fim de semana com ele para tentar construir algo mais sobre as fundações da amizade que haviam criado entre si, a partir da necessidade de criar os filhos em conjunto. A cada dia, a confiança e a fé de Julie em Jay se reconstruía. Ela também percebia as áreas em que podia melhorar para se tornar a companheira que gostaria de ser. Tiveram longas conversas caminhando, de mãos dadas, pelas ruas da pacata vila; trocavam abraços e riam juntos, lembrando momentos felizes do passado. Foram percebendo as maneiras como ambos haviam mudado. Num momento sincero de pura vulnerabilidade, Jay reconquistou Julie ao olhar dentro de seus olhos e dizer:

— Meu nome é Jay. Quero saber quem você é de verdade, e não o que criei a seu respeito em minha mente. Também quero mostrar para você a pessoa que eu sou agora e a pessoa que eu quero ser.

Essas poucas palavras os impulsionaram em direção ao futuro, dedicado à recuperação e à possibilidade de um novo casamento. Jay e Julie ingressaram no longo caminho da cura através da terapia individual e de casal. Durante esse tempo, Jay vivenciou graves episódios de vergonha, escorraçando a si mesmo por ter traído sua esposa e despedaçado sua família. Numa noite, Jay abriu seu coração para Julie, que abraçou o marido enquanto ele soluçava entre lágrimas de remorso. Ao fundo, ouviram a televisão noticiar o caso de Eliot Spitzer, governador de Nova York. Voltando os olhos para a tela, assistiram, chocados, ao governador admitir seu caso com uma acompanhante e pedir o perdão da esposa, da família e da população. Jay ficou assombrado com o olhar de dor e desespero no rosto da Sra. Spitzer: ele vira o mesmo olhar estampado no rosto da própria esposa.

Em um gesto solene, Jay sentou-se ao lado de Julie, segurou sua mão e disse:

— Alguém precisa dizer a verdade sobre a infidelidade; alguém que diga a verdade, não importa o quão graves sejam as consequências. Para que os casos extraconjugais existam, é necessário que haja uma enganação. Para rechaçar a infidelidade, devemos dizer a verdade absoluta e nada além disso. Talvez eu possa me redimir dos terríveis erros do passado se puder ajudar outras pessoas.

Apesar de ter sido Jay quem teve um caso, ambos reconheceram que haviam cometido erros no passado ao valorizar pouco o outro e deixar morrer a conexão que os unia. No fim, Jay perdoou a si mesmo, os dois se perdoaram um ao outro, e eles se casaram novamente com um sentimento renovado de propósito e uma definição nova do que significava uma união amorosa.

— O amor verdadeiro exige que curemos nossas próprias feridas, e não que esperemos que nosso relacionamento ou nossos companheiros façam isso por nós — diz Jay. — Um bom casamento ganha vida através de novas escolhas. Amar é algo que exige de nós o compromisso de amadurecer, superar as feridas infligidas pela vida e assumir responsabilidade pelas nossas necessidades enquanto adultos.

Princípio Wabi Sabi

Dentro da sabedoria Wabi Sabi, é possível evoluir além de nossas feridas para recobrar a plenitude e desenvolver um amor mais forte e mais denso.

Ao ouvir essa história, minha primeira reação foi sentir repulsa pelas atitudes de Jay e não consegui entender como Julie ainda estava disposta a ficar com ele. Durante muitas semanas, pensei em deixar essa história de fora do livro porque sentia que tentar encontrar beleza ou perfeição nas ações de Jay era "ir um pouco longe demais". No entanto, logo descobri a verdade mais profunda dessa história.

Uma noite, Brian e eu estávamos em Nova York para o lançamento de *O efeito sombra*, escrito em coautoria pela minha irmã, Debbie Ford, Deepak Chopra e Marianne Williamson. Cada um dos três falou um pouco sobre a "sombra" conhecida como nosso lado obscuro – as emoções e comportamentos negativos que tentamos esconder de nós mesmos e do mundo, como nossa ira, nossa ganância, nossa desonestidade, nossa luxúria, nossa inveja, nosso egoísmo e muito mais.

Para ilustrar como é fácil rejeitar e reprimir a sombra, Marianne citou o seguinte exemplo: quando uma criança cai no chão, arranha o joelho e corre para você, em prantos, você (o adulto) envolve a criança nos braços e a acalma com palavras gentis, beijos e curativos de bichinho. No entanto, quando um adulto apresenta um comportamento repreensível (um dos milhões que existem), é muito mais difícil oferecer o mesmo conforto. Na verdade, é mais comum que rejeitemos e julguemos a pessoa sem perceber que suas ações podem ter sido provocadas por uma ferida interna invisível.

Naquela noite, ao ouvir Marianne falar aos ouvintes, tive um lampejo.

Apesar de saber que as ações de Jay estavam calcadas em uma infância sofrida, minha primeira reação fora julgá-lo indigno de reconstruir uma vida de amor com Julie. Ela, no entanto, continuou a amá-lo e a considerar a possibilidade de um futuro com ele (mesmo tendo se divorciado dele para se proteger de seu comportamento nocivo). Foi assim que ela o ajudou a aprender a viver em paz com a própria sombra, que fizera com que ele se desviasse do caminho certo. Foi um imenso ato de sabedoria e coragem. Através do Wabi Sabi, Julie decidiu deixar livre o espaço para que Jay pudesse crescer e virar o homem que ela sabia que ele era capaz de ser, e amá-lo mesmo quando ele próprio era incapaz disso. Para mim, essa história mostra que é verdadeiramente possível superar os maiores obstáculos no caminho do amor e sair curado do outro lado.

Julie e Jay são provas de que o amor prospera não apenas na presença da pureza e da coesão, mas que também surge por entre rachaduras e fissuras. Hoje temos o compromisso de ensinar a outros casais que é possível consertar seus casamentos caso estejam dispostos a preencher as rachaduras com compreensão, amor e perdão. A história deles ilustra que podemos aprender até mesmo com os erros mais sérios se estivermos determinados a ser os artesãos Wabi Sabi que nascemos para ser.

EXERCÍCIO:
Escreva novos votos de casamento

Caso você ou seu companheiro tenha quebrado seus votos de casamento, pode ser uma boa ideia escrever novos votos para descrever seu comprometimento renovado com o relacionamento. Pense nisso como uma espécie de missão-manifesto que servirá como bússola em suas ações futuras, como uma declaração de seu comprometimento em seguir em direção a um futuro compartilhado com seu parceiro. Votos funcionam como um trampolim para sua nova realidade por proclamar sua intenção de serem melhores juntos do que separados.

Esse exercício cria um futuro mais inspirador, no qual, com um casal Wabi Sabi, logo se transforma em realidade cotidiana e amorosa.

Você pode modificar o voto abaixo para que ele se encaixe em sua situação. Preencha as lacunas:

"Nos últimos ______ anos, estivemos unidos na tristeza e na felicidade, na vitória e na derrota, na doença e na saúde, e juntos crescemos muito. Evoluímos e nos transformamos juntos, e juntos perseveramos, gargalhamos e choramos. [*opcional:* Juntos criamos uma linda família]

Eu, _____________, tomo você ___________ por meu/minha _________________ para que juntos possamos desenvolver um relacionamento saudável, cheio de amor e compreensão, ao renovarmos nosso compromisso de vivermos juntos como parceiros, amantes e melhores amigos. É com felicidade que hoje prometo usar o meu riso para enxugar suas lágrimas e meu carinho e compaixão para aliviar sua dor. Serei o vento sustentando as suas asas, e através de nosso crescente entendimento do outro, encheremos nossa vida de harmonia. Curaremos os erros do passado e renovaremos nossa vida como um casal com honestidade e transparência. Prometo entregar-me completamente a você e prometo te amar para sempre, deste dia em diante.

Prometo te amar, te valorizar e te respeitar, e prometo amadurecer com você, todos os dias de nossa vida.

Esse é o meu voto mais solene."

O amor Wabi Sabi é fundamentado na habilidade de ser honesto consigo mesmo e com seu companheiro – ou seja, estar disposto e aberto a compartilhar sua verdade, sua plena verdade, assim que tiver consciência dela.

EXERCÍCIO:
Dizendo a verdade

Relacionamentos que têm como base a honestidade e a verdade conseguem resistir ao teste do tempo, enquanto os que são construídos sobre mentiras estão fadados a ruir.

Ninguém sabe disso melhor que Barbara "Willow" Potter Drinkwater, uma enérgica empresária da Virgínia que já precisou lidar com sua cota de parceiros desonestos e nada confiáveis. Ela aprendeu com a vida que só se pode fazer um relacionamento durar através da verdade. Hoje ela tem um casamento amoroso e encontrou uma maneira de compartilhar sua verdade, mesmo quando tem medo de fazê-lo. Baseando-se nos ensinamentos de Dwight GoldWinde, ela chama esse processo de MERRECA: Medo e Receio de Compartilhar Algo. Ela começa a conversa dizendo: "Tenho uma MERRECA para você". Aqueles que a conhecem já sabem o que ela quer dizer com isso. Para o caso de um amigo que não esteja familiarizado, ela explica que está prestes a dizer algo que a deixa muito desconfortável, mas que ela valoriza tanto a relação que decidiu sair de sua zona de conforto e contar sua verdade. Então, ela diz o que tem que dizer em algumas poucas palavras. Ser conciso ajuda. Qualquer um que já tenha sido obrigado a ouvir longas explicações poderá atestar que o monólogo costuma se transformar numa discussão acalorada, ou pior: é comum que o ouvinte se canse e deixe de prestar atenção em seu interlocutor.

Neste exercício, que consiste em falar a verdade, proponho pequenos roteiros para ajudá-lo na tarefa de compartilhar a sua "merreca" com seu companheiro – e de pouquinho em pouquinho, logo vocês estarão firmes no caminho em direção à verdade.

Talvez seu parceiro tenha dito algo que magoou você ou que você interpretou como sendo crítico ou condenatório. Espere um momento calmo em que nenhum de vocês dois esteja ocupado ou com pressa, e então diga com delicadeza:

— Eu valorizo você e o nosso relacionamento, e por isso tenho uma "merreca" para compartilhar com você.

Convide seu companheiro a dividir o pedacinho de si que você está oferecendo. Fale sobre a sua verdade em poucas palavras usando afirmações com "eu":

Eu me sinto criticado quando...

Eu fico triste porque...

Eu quero que você saiba que...

No fim, agradeça a seu parceiro por ter escutado e então pergunte se ele não gostaria de dividir uma "merreca" com você. Ouça o que ele diz. Terminem a conversa com um abraço de 20 segundos. Gay e Katie Hendricks aconselham fortemente o abraço de 20 segundos, pois acreditam que seus poderes de cura vão muito além de um ego ferido: ele é capaz de solidificar seu relacionamento baseado em verdades e elevar a consciência do casal a um outro patamar.

Ouvir a verdade de seu companheiro nem sempre será confortável, principalmente quando se tratar de um comportamento que lhe irrite além da conta. Nesses momentos, o conceito Wabi Sabi da aceitação oferece uma ajuda inestimável.

(Se o exercício da verdade parecer um pouco assustador ou intimidador, faça o *download* do passo a passo em www.wabisabilove.com/audio.)

SETE

O significado real da intimidade

"É muito comum que a prática do amor incentive a emoção a superar o medo: abrir seu coração deliberadamente quando você preferia se fechar, entregar-se ao invés de se esconder. Amar significa reconhecer-se na plenitude desse momento independentemente de seu conteúdo (pensamentos penetrantes, prazeres encantadores, emoções profundas ou dores excruciantes) e abrir mão do controle do papel familiar chamado 'eu'." — **David Deida**

Quando era mais jovem, pensava que a palavra "intimidade" era uma maneira educada de se referir ao sexo... Por exemplo: "Tivemos relações íntimas ontem à noite" ou "O encontro foi ótimo, ainda mais quando a coisa ficou íntima". Eu era mesmo muito tapada, e o pior é que não fazia a menor ideia de quão tapada era. Dividia o mundo em dois grupos de pessoas: aquelas com quem tinha uma conexão e o resto. Para mim, ter uma conexão com alguém significava um determinado grau de amizade que permitia que eu fosse eu mesma. Por algum motivo, não me sentia à vontade com a ideia de desenvolver o grau mais profundo de conexão e amizade conhecido como intimidade.

Intimidade (assim como sua prima, vulnerabilidade) foi algo que eu evitei a todo custo em meus primeiros relacionamentos. Aperfeiçoei a arte de me equilibrar no parapeito das minhas emoções sem nunca me enveredar em seus meandros, e era a mestra da conexão casual, leve e inofensiva. Apesar da minha curiosidade e do meu interesse em crescimento pessoal e tudo relacionado à espiritualidade, passei muito tempo agarrada a esse estado mental equivocado, namorando homens que tinham o mesmo cuidado em evitar as águas potencialmente turbulentas da vulnerabilidade e intimidade.

Num dia qualquer de 1993, bem cedo pela manhã, recebi uma ligação de Kenny Loggins (sim, o cantor e compositor famoso que assina, entre outras, as músicas-tema de *Top Gun*, *Footloose* e *Clube dos Pilantras*). Um amigo em comum sugerira que eu poderia ser a pessoa perfeita para encontrar um editor para publicar o projeto em que Kenny estava trabalhando: um livro chamado *The Face of Love* [*A face do amor*], um livro ilustrado com imagens de casais fazendo amor, mas focando em suas expressões faciais e na maneira com que eles se olhavam nos olhos. Usando fotografias de Carl Studna, Kenny planejava escrever o texto para o livro, ressaltando a arte e a prática do tantra. Ele me explicou rapidamente que tantra era uma espécie de ioga, vendo o sexo como caminho espiritual.

Fiquei de orelha em pé.

Por muitos anos, encarei o sexo como uma espécie de aventura que era ao mesmo tempo divertida e benéfica para o coração (já que queima calorias e é uma atividade aeróbica), mas nunca havia pensado nele como uma experiência capaz de abrir o coração. Agora, um dos meus músicos preferidos estava me dizendo que sexo podia ser divertido, prazeroso, aeróbico *e* espiritual. É claro que ele conseguiu capturar minha atenção. Marcamos uma reunião para que eu conhecesse Kenny e Carl e examinasse as fotos que já haviam sido feitas. Fui arrebatada pela energia e pelo mais puro amor estampado nos olhos dos casais, e estava convicta de que conseguiria encontrar um editor que agarrasse a chance de apresentar ao mundo aquela obra de arte. Infelizmente, o trabalho foi recusado por todos os profissionais que procurei, mas essa experiência serviu para abrir meus olhos e instigar minha vontade de aprender mais sobre a conexão entre amor, sexo, espiritualidade e intimidade.

Intimidade vai muito além de relações sexuais e envolve a interseção profunda de duas almas. Quando somos verdadeiramente íntimos de alguém, sentimo-nos livres para ser autênticos. Sentimo-nos reconhecidos, ouvidos e compreendidos, e temos a sensação de estar "em casa" quando olhamos em seus olhos. Ficamos à vontade para compartilhar da forma mais transparente nossos pensamentos mais profundos, assim como nossas esperanças, nossos sonhos e nossos objetivos. Esse nível de intimidade é o que chamo de conexão de alma gêmea, e pode extrapolar o amor romântico. Sua alma gêmea pode ser um melhor amigo, sócio, colega de trabalho, filho, irmão, pai ou mãe, ou mesmo um bicho de estimação. Acredito que encontramos muitas almas gêmeas ao longo da vida. Quando abraçamos a oportunidade de amar, valorizar e nutrir esses relacionamentos, a vida se torna mais gostosa.

Amante paciente

Wendy sabia bem o que era ser adorada. Era uma linda atriz de corpo mignon e atraía o tipo de homem com que a maioria das mulheres fantasia. Ao longo de seus vinte e poucos anos, teve um vasto espectro de experiências sexuais, incluindo relacionamentos com atores famosos, narcisistas e indulgentes em excesso. Namorou um conhecido professor de tantra e também um mestre Qigong que estudava o caminho espiritual através da sexualidade.

Quando Wendy era adolescente, sua melhor amiga foi assassinada por um homem que era obcecado por ela. Por causa dessa e de outras experiências, ela começara a associar amor e sexo a perigo e ameaça – o que foi emocionante por um tempo, mas deixava sua alma vazia. Foi nesse período que ela conheceu Frank, que logo se tornaria seu melhor amigo e confidente. Ele não se encaixava em nenhuma de suas fantasias românticas, pois ela se imaginava com uma versão masculina de si mesma, um homem alto, moreno e sedutor. Frank tinha longos cabelos loiros, usava camisetas *tie-dye* e chinelos, e era o mais diferente possível dos homens sofisticados a quem ela estava acostumada. No entanto, surgiu entre eles uma fagulha imediata de um amor que parecia tão puro e inocente... quase como se fossem irmãos gêmeos. Wendy continuou com suas aventuras sexuais e depois contava tudo para seu novo melhor amigo Frank.

Ele não se incomodava em ouvir sobre as peripécias sexuais de Wendy. Eles eram melhores amigos, compartilhavam tudo um com o outro e sabiam que isso poderia ajudá-los a crescer. Mesmo assim, de vez em quando, Frank tentava imaginar a si mesmo no papel de um dos amantes de Wendy, e desejava estar no lugar deles.

Em determinado momento, Frank se mudou para Atlanta, enquanto Wendy permaneceu em Nova York. Falavam-se por horas no telefone quase toda noite, unidos por sua paixão em comum de encontrar meios de ajudar o mundo.

Enquanto Wendy explorava o ápice da sua sexualidade, Frank entrava em um período de dez anos de celibato. Suas primeiras memórias de sexo vinham das histórias de sua mãe sobre a natureza suja e perigosa do ato. Quando ela tinha 17 anos, teve um encontro mais "quente" com um de seus muitos namorados, e mesmo que não tenha havido penetração em si, ela engravidou (aos que não acreditam, saibam que foi isso mesmo o que aconteceu). Ela e o futuro pai de Frank resolveram se casar e ter o filho. Frank nasceu quatro anos depois e cresceu numa casa infeliz, ouvindo as constantes reclamações de sua mãe a respeito de sua vida sexual insatisfatória. Conviveu por 19 anos com o caso extraconjugal que sua mãe tinha com um vizinho, enquanto seu pai ficava mais gordo e mais passivo a cada ano.

Frank teve algumas namoradas na faculdade, mas quando se tratava de sexo, ele sempre ouvia uma voz em sua cabeça dizendo que sua vida estaria arruinada caso ele ejaculasse dentro de uma mulher ou mesmo perto dela. Chegou a questionar sua sexualidade. Por volta dos 20 anos, Frank conseguiu ter algumas experiências sexuais boas com sua namorada, mas o relacionamento acabou depois de um ano e meio, deixando Frank frustrado e confuso.

Aos 21, conheceu Wendy. Seu medo da sexualidade e o fato de ter sempre se imaginado com uma morena ao invés de uma loira foram suficientes para que seu relacionamento com ela se tornasse platônico. Entre os telefonemas e as visitas quase mensais, descobriram que se sentiam à vontade para compartilhar tudo um com o outro, de uma forma íntima e um tanto provocativa. O relacionamento deles já tinha cinco anos quando ele beijou Wendy pela primeira vez, deixando-a sem ar. Sem pestanejar, ela disse:

- Frank, você vai ser um amante fantástico.

Ao invés de ficar contente com o elogio, ficou pálido como uma folha de papel e fechou o rosto. O pensamento instantâneo e assustador de que seu desempenho não seria bom o suficiente para Wendy o fez tremer nas bases.

Assim, nos cinco anos seguintes, eles se tornaram melhores amigos com benefícios – benefícios que se estendiam até dormir de conchinha, e só. Durante esse período, a confiança de Frank foi crescendo e ele percebeu que Wendy realmente o amava de maneira incondicional, e entendeu que a atração de Wendy por ele vinha dos níveis mais profundos de sua alma.

Em seu 11º ano juntos como amigos, eles ficaram mais íntimos e muitas vezes estiveram perto de fazer amor – mas de repente os medos de Frank emergiam e ele tremia dos pés à cabeça. Nessas horas, Wendy o abraçava, afagava seu cabelo e o lembrava de que ela ficaria feliz de estar com ele mesmo se não fizessem amor. Ela o ajudava a controlar a respiração e fazia perguntas delicadas para ajudá-lo no processo de se libertar da dor à qual estava condicionado. Por fim, Frank começou a se sentir confortável, e um belo dia eles consumaram o relacionamento, com muito carinho e devoção mútua.

— Meus medos não desapareceram do nada — lembra Frank. — O que aconteceu foi que eu comecei a perceber que, nessas situações, eu precisava tirar o foco do meu próprio medo e das minhas próprias dúvidas e me perguntar o que podia fazer para dar a Wendy ainda mais amor.

Frank começou a lançar mão de uma série de técnicas redutoras de estresse para se acalmar e se preparar para as visitas de Wendy. Passou a ver mais graça na antecipação e a dizer a si mesmo que era capaz de mostrar seu amor por Wendy não apenas com o coração, mas também com o corpo. E mesmo que suas noites juntos nem sempre saíssem como planejado, o sol da manhã parecia renovar sua paixão. Eles descobriram que os medos de Frank iam embora junto com a escuridão e, assim, passavam as manhãs fazendo amor.

Seu comprometimento mútuo permitiu que sua vida sexual se desenvolvesse sem pressão e que o sexo fosse a mais pura expressão de um momento de amor.

A dedicação de Wendy e sua habilidade de estar presente permitiram que Frank se mostrasse tão vulnerável quanto fosse preciso e libertaram-no da ansiedade. Isso fez com que seu amor fluísse de forma mais livre e com muito mais paixão.

— Com Frank, meu objetivo final não era ter uma vida sexual extraordinária, e sim experimentar aceitação e amor profundos e incondicionais — diz Wendy. — O melhor é que, uma vez que ele se libertou de seus antigos medos e percepções, o sexo entre nós passou a ser mais incrível, mais ativo e mais rico do que qualquer coisa que eu já havia sentido antes com "profissionais experientes", porque suas fundações são intimidade e amor incondicionais ao invés do desempenho em si.

Assim como Wendy, passei muito tempo confundindo sexo com conexão. Antes de conhecer Brian, pensava com frequência: "Um dia, quando for casada, farei sexo quase todos os dias". Na época em que começamos a namorar, ele estava sempre viajando a trabalho, e não morávamos na mesma cidade, então sexo diário não era uma opção. Quando fomos morar juntos, descobri que ele era uma pessoa muito matutina e às 5h já estava de pé (eu nunca acordava antes das 8h); e ia dormir com as galinhas, às 9 da noite (já eu ia dormir por volta da meia-noite). Logo percebemos que nosso horário ideal para fazer amor era nos fins de semana à tarde, e assim o sexo diário era pouco prático e quase impossível. E apesar de eu ter passado boa parte da minha juventude sonhando em fazer sexo todos os dias, logo percebi que, durante esse tempo todo, o que eu buscava e desejava era algo que eu agora tinha: uma conexão profunda e amorosa com um homem que me amava exatamente como eu era. Antes o sexo era ótimo, divertido e até mesmo instigante, mas no fundo eu sentia falta (e na época eu nem sabia que isso era possível) do que passei a ter todos os dias com Brian: aceitação e amor profundo e incondicional. Meu coração se libertou da ideia de que tudo o que eu queria era sexo assim que me entreguei à forma de amor mais profunda e sustentável, que desenvolvi junto com Brian. Essa conexão maravilhosa, fluida e íntima é a essência do amor Wabi Sabi, que fica cada vez melhor com o tempo.

Meus amigos Arjuna e Chameli sabiam que queriam esse amor eterno, por isso se dedicaram desde o início a celebrar sua intimidade com uma dose generosa de compreensão e criatividade na hora de lidar com suas questões emocionais potencialmente complicadas e explosivas.

Os benefícios do ciúme

Quando Arjuna e Chameli Ardagh se conheceram, eles compreenderam juntos que teriam que embarcar em seu relacionamento amoroso de uma forma completamente diferente de seu passado. Cada um deles já havia percebido então que os hábitos herdados de seus pais, sua cultura e seu condicionamento tinham uma forte inclinação à separação, ao juízo de valor, ao conflito, à crítica, ao controle e ao desapontamento.

Com pouco tempo de namoro, foram acampar no topo de uma montanha. Fizeram uma fogueira sob as estrelas e trocaram experiências anteriores com namoros e casamentos. Ambos tinham vivido muita negatividade. Haviam sido julgados, criticados e controlados por seus companheiros e, em troca, haviam feito exatamente o mesmo. Sabiam que, para que esse novo relacionamento desse certo, teriam que fundamentar seu amor em honestidade e comunicação desde o início. Puseram tudo para fora e decidiram que, já que queriam ficar juntos, precisavam encontrar uma maneira de transformar todos esses hábitos em algo que funcionasse a serviço do amor, e não da separação.

Um dos hábitos que Arjuna aceitou mudar era o ciúme sutil que sentira durante toda a vida. Não o tipo histérico de ciúme que costuma acabar em coisas sendo arremessadas contra a parede; o ciúme de Arjuna era do tipo insidioso e indireto que, segundo ele, é muito típico entre os ingleses. Em seus relacionamentos anteriores, ele sentia seu estômago dar nó toda vez que sua companheira ia para outro quarto atender o telefone.

— Com quem você estava falando? — perguntava ele, casualmente.

— Ah, com um amigo — era a resposta.

Uma tensão invisível.

— Ah. Que bom. — Uma pausa pesada. — Alguém que eu conheço?

— Não, era só um amigo.

Tão sutil quanto infundada, essa tendência à suspeita, ao ciúme e ao comportamento possessivo gerava uma tensão no relacionamento que impedia que o amor profundo fluísse entre eles.

Por isso, uma das práticas que eles inventaram naquela noite sob as estrelas foi a de criar um personagem fictício para representar o ciúme e a ira em seu relacionamento. Deram a ele o nome de Luigi. Sempre que Arjuna sentia a tendência ao ciúme se apossar dele, parava por cinco minutos e encarnava Luigi. Luigi era um italiano com cabelos oleados e penteados para trás, que usava um brinco cintilante na orelha e uma camisa que deixava entrever o peito coberto de pelos crespos. Usava sapatos pretos pontudos e uma calça com estampa de leopardo que deixava claro que ele estava longe de ser bem-dotado.

— Ma che! — bradava Arjuna em um macarrônico sotaque italiano, puxando Chameli pelo braço em tom de brincadeira. — Vene qui, ragazza! Tu é mia donna, va bene? Io te voglio bene, mai si te pego a olhare uno otro uomo, io mato los due. Io mato, capisce?

Ao agir assim de forma consciente por cinco minutos, Arjuna fazia com que seu ciúme (que, de outro modo, poderia gerar tensão entre os dois e só distanciá-los mais) se transformasse em algo engraçado, e os dois davam boas gargalhadas juntos. Esse recurso pôs o casal no caminho da intimidade que, graças ao ciúme, sempre passara longe dos relacionamentos anteriores de Arjuna. Na verdade, Luigi acabou exercendo um poder de atração ainda mais intenso, já que Chameli o achava irresistível. Assim, eles aprenderam que o ciúme em si não era o problema: o que causava tensão e afastamento em sua relação era o ciúme velado. Aceitar seus sentimentos – fossem de insegurança, irritação ou medo – ajudou o casal a superar diversos hábitos antigos. Eles desenvolveram táticas parecidas para lidar com esses sentimentos e descobriram uma forma completamente nova de união. Esse teatro os ajudou a ser protagonistas em um espetáculo criado por eles mesmos. A abordagem Wabi Sabi de Arjuna e Chameli para lidar com o ciúme é divertida, criativa e bem-humorada.

Princípio Wabi Sabi

Deixe seu relacionamento mais vivo, leve e vibrante através de brincadeiras e da representação de papéis. Prima do humor, a diversão é relaxante e saudável, e faz com que o casal aprenda e cresça junto.

Diz o ditado que a variedade é o tempero da vida. No entanto, no mundo da conexão íntima, é muito comum que nos tornemos repetitivos na forma com que nos relacionamos. Não são só nossas relações sexuais que se tornam mecânicas (você sabe, mão aqui, cabeça acolá); nossa forma de interagir também.

Alguns anos antes de conhecer Brian, eu e minha irmã, Debbie, fomos juntas a um *workshop* ministrado por Margot Anand. Em um determinado exercício interativo, precisamos escolher um parceiro, e é óbvio que resolvemos ficar juntas. Mal sabíamos nós que nos próximos 30 segundos nos fariam perguntar, uma à outra, coisas que não nos sentíamos à vontade de contar a uma irmã, como "Onde e como você mais gosta de ser tocada?" – lembre-se que esse era um *workshop* de tantra, com exercícios tântricos. Foi então que decidi que não queria, de jeito nenhum, compartilhar minhas preferências sexuais com a minha irmã, e nós fizemos a única coisa sã que duas irmãs podiam fazer em uma situação como aquela: saímos do *workshop* e fomos fazer compras!

Mais tarde, no entanto, pensei mais a fundo na questão e percebi que aquele era, na verdade, um exercício muito importante que poderia melhorar qualquer relacionamento romântico. Não importa se você está com seu parceiro há dois meses ou vinte anos, sugiro que você reserve 20 minutos para tentar este exercício e examine a questão com uma "cabeça de principiante".

EXERCÍCIO:
conhecendo-se melhor

Crie um clima e acenda algumas velas, mas deixe espaço suficiente para que vocês consigam se enxergar bem. Sentem-se frente à frente, deem as mãos e olhem nos olhos um do outro. Sussurre no ouvido de seu parceiro onde e como você gostaria de ser tocado; depois será a vez dele de fazer o mesmo. Pense com cuidado antes de responder.

Suas preferências do passado podem já não ser as mesmas hoje, portanto aproveite a chance de aprender algo novo sobre seu companheiro, e vice-versa.

Comecem cada frase com: Eu gosto quando você me toca assim: ________________.

(Exemplos: "Gosto quando você me faz um cafuné antes de dormir" ou " Amo quando você segura meu rosto entre as mãos e olha dentro dos meus olhos enquanto nos beijamos.") Alternem-se percorrendo essa lista de partes do corpo:

Cabeça, rosto, lábios, orelhas, pescoço, ombros, peito, abdômen, costas, nádegas, genitais, coxas, joelhos, panturrilhas, pés, braços, o lado de dentro dos cotovelos, antebraço e mãos.

Façam o exercício com curiosidade e vontade. É uma chance preciosa de descobrir novas formas de satisfazer seu companheiro. Você estará no caminho para uma conexão e uma intimidade mais profunda do que vocês jamais tiveram.

Sei que nem sempre é fácil e confortável pedir ao seu companheiro maneiras novas, melhores e mais interessantes de se divertir entre quatro paredes. Caso ache que ele não estará preparado para isso, comece com uma pergunta simples que irá deixar a porta aberta para que ele pergunte a você suas preferências. Pergunte: "O que posso fazer agora para te fazer sorrir de orelha a orelha?"

Atiçar a sensação de diversão e entusiasmo no sexo ajuda a acalmar os humores quando vocês estiverem se sentindo apreensivos em relação à satisfação – a sua e a de seu companheiro. Quando comecei a namorar Brian, eu costumava acender velas antes de fazermos amor. Sempre gostei de velas, desde antes de conhecê-lo, e costumava acendê-las para tomar um relaxante banho de banheira ou quando assistia à TV no quarto. Lembro-me de uma ocasião no início de nosso namoro em que Brian chegou em casa tarde da noite, vindo de uma longa viagem. Ao entrar no quarto e ver as velas acesas, ele disse, com um olhar confuso:

— Ah, não tinha percebido que você estava a fim.

Foi então que percebi que ele havia associado velas a sexo, e assegurei-o de que naquela noite eu estava apenas curtindo o aroma de baunilha e a luz suave, e não tentando seduzi-lo. Aprendi que velas nem sempre terminam em sexo e que sexo nem sempre vem acompanhado de velas!

OITO

Unidade Wabi Sabi

"O paradoxo do amor consiste em dois seres que se tornam apenas um e, no entanto, continuam sendo dois."
— **Erich Fromm**

De onde vem nosso impulso de nos conectarmos com o outro? O que é o desejo inato de compartilhar nossa vida com alguém? É uma mera vontade de superar nossa solidão e nossa sensação de distanciamento? De ter alguém para testemunhar nossas vidas? Ou será que viver em casal está em nosso DNA?

Muitos anos atrás, ouvi uma história intrigante extraída de *O Banquete*, um dos diálogos de Platão. Na história, Aristófanes – aclamado dramaturgo cômico e filósofo da Atenas antiga – narra um conto sobre a origem de nosso desejo profundo por Unidade, que é um pouco gráfico, mas merece ser recontado aqui.

De acordo com o velho filósofo grego, um dia os seres humanos foram seres esféricos com oito membros, como polvos. Tinham quatro braços e quatro pernas, uma cabeça com duas faces e quatro orelhas, e dois órgãos sexuais, masculino e feminino, ou uma combinação dos dois (masculino-masculino, masculino-feminino ou feminino-feminino).

Esses seres viviam em constante êxtase, o que deixava os deuses bastante ofendidos – a Zeus mais do que qualquer outro. De acordo com a história, ele temia que esses seres felizes e contentes deixassem de ser satisfatoriamente subservientes aos deuses todo-poderosos e por isso decidiu puni-los. Assim, ele fez com que fossem partidos em dois, e suas metades foram espalhadas por lugares opostos.

Desde esse dia, nós, meros mortais que um dia foram esferas contentes e unas de felicidade, passamos a vida a procurar nossas metades.

De fato, isso explicaria por que sentimos uma felicidade delirante com a promessa de um novo amor e quando finalmente conhecemos nossa cara-metade. É a pura expressão do nosso estado original de união. Ao nos reunirmos com nossas almas gêmeas, acreditamos (ao menos por algum tempo) que ficamos completos e alcançamos a plenitude.

Eu me identifiquei muito com essa história desde a primeira vez em que a ouvi.

"Sim, é verdade", pensei. "Anseio por encontrar minha outra metade, porque sinto que esse é, de fato, um pedaço que falta na minha alma".

Sendo assim, o que é necessário para que criemos um relacionamento maravilhoso que cresça ainda mais em face da adversidade, que fortaleça e sustente duas almas (além de toda a família, da comunidade e, possivelmente, o mundo inteiro)?

Não é mágica, apesar de ser um processo mágico. Unir-se com sua alma gêmea pode até ser uma experiência natural, mas não nascemos sabendo como manter dois corações em harmonia e sintonia pela vida inteira.

Aprender a coexistir com sua outra metade é parecido com o processo de formação da pérola. Ao longo de milênios, as pérolas sempre foram muito valorizadas por culturas como a persa, a chinesa e a hindu, devido à sua grande beleza, representando amor, prosperidade e bondade. Pérolas naturais são muito raras, pois ocorrem em uma ostra ou mexilhão em mil, e são resultado de uma irritação causada por um parasita ou larva que invade o molusco. Imagine que seu relacionamento é uma proto-pérola: uma irritação que, com o tempo, se transformará em algo de grande beleza e valor, devido à luz que lança no mundo.

Para os mais práticos, há outra forma de pensar: pense que você comprou um par de sapatos de couro. No inicio, são duros, e é provável que causem algumas bolhas ou alguns calos, mas assim que você os amacia, eles se tornam seu par preferido, e você passa a querer usá-los o tempo todo!

Assim como as bolhas causadas por sapatos novos, mudanças podem causar dores indesejadas, mas muito valiosas, já que chamam nossa atenção para o que é importante.

Amor verdadeiro: um abraço e um choque de realidade

A bela australiana Claire era solteira quando se mudou para o norte da Califórnia, em 2002, para obter seu Ph.D. em aprendizagem transformadora e, o mais importante, para seguir uma intuição de que ela simplesmente precisava morar nos EUA. Além do impacto da grande mudança em si, ela também estava curando um coração partido e superando uma série de outros desastres. Ela alega que essa situação foi uma decisão consciente, resultante de "um desejo muito bem definido de acelerar todas as minhas questões pessoais para que eu pudesse amadurecer e expandir de todas as formas e, por fim, virar a professora que nasci para ser".

Ao longo do mês anterior, seu cachorro morrera em seus braços, seu negócio fracassara, ela perdera sua casa e seu namorado a deixara. O resultado disso foi que ela voltou a morar com os pais, dormindo num colchão inflável. Quase suicida, traumatizada e passando pelo período mais obscuro de sua alma, era quase impossível pensar positivo.

Numa tarde de quarta-feira, ela estava escalando uma pedra quando, dependurada na beira de um precipício, ouviu uma voz dizer: "Você é capaz de dizer 'sim' para a vida mesmo que esteja sofrendo tanto?"

A resposta simples e verdadeira era que ela não sabia.

Ela considerou a chance de dizer "sim" para a vida ao longo dos três meses seguintes e chegou a uma conclusão transformadora: "Estarei dizendo 'sim' para a vida se escolher ser um foco de amor nesse mundo, apesar da minha dor".

Com energia de viver renovada, Claire estava determinada a fazer o que fosse necessário para se tornar a mulher que ela queria ser, e foi isso que a levou aos Estados Unidos. Ela continuou sozinha nos cinco anos seguintes e, com grande determinação, concentrou-se nos estudos, fez novos amigos e travou novos contatos; e começou sua carreira como professora de transformação.

Apesar do grande crescimento espiritual que Claire vivenciou durante esses anos, ela não se permitiu abrir o coração para a possibilidade de um novo amor. Assim, numa noite solitária, foi tomada pela certeza de que ela precisava, mais uma vez, de uma mudança de mentalidade. Desenvolveu forte consciência de que, caso não houvesse uma mudança profunda dentro de si, era provável que passasse o resto de sua vida sem sequer ter conhecido o amor verdadeiro.

Na manhã seguinte, telefonou para sua melhor amiga, Katherine, que era especialista na arte de desenvolver relacionamentos amorosos. Claire confessou que finalmente estava pronta para se abrir e receber o amor que estava destinado a ela.

Claire, que é uma aluna excepcional, seguiu ao pé da letra as instruções de Katherine e logo atraiu o interesse de Craig, um colega que também era professor de transformação. Em apenas seis meses, estavam noivos, e, em um ano, casaram-se em uma cerimônia íntima numa linda pousada no cânion de Topanga, em Los Angeles. E é aqui que começa sua história.

No início, Claire ficou encantada com as semelhanças entre os dois. Tinham valores idênticos a respeito de família, dinheiro e carreira.

— É maravilhoso estar com alguém que entende tão bem como eu me sinto — disse ela.

E então, como acontece com todos os casais que conhecemos, aos poucos as divergências começaram a aparecer. Pode-se dizer que a fonte de suas diferenças era o choque de culturas. Craig passara muitos anos numa comunidade que encorajava seus membros a oferecer conselhos constantes uns aos outros a respeito do que estava funcionando ou não, incentivando-os a se desafiarem de todas as formas possíveis para fazer com que a consciência coletiva do grupo evoluísse. Claire, por sua vez, trabalhava numa comunidade de mulheres em que as opiniões eram dadas de forma doce, afetuosa, compreensiva e, acima de tudo, delicada.

— Craig sentia-se muito à vontade em opinar sobre tudo o que eu fazia, desde o jeito que eu dirigia até a minha forma de picar vegetais para o jantar — conta ela. — Imagine minha surpresa quando ele começou a me dar instruções sobre como e quando trocar de pista, sendo que eu dirigia havia 15 anos e jamais sofrera um acidente sequer – tudo isso sem a ajuda dele, muito obrigada! É claro que ele dizia tudo isso da maneira mais gentil possível, mas ainda assim...

Um ano depois do casamento, Claire estava trabalhando todas as horas do dia e da noite no lançamento de um produto novo e enfrentando um grande desafio profissional. Ela só precisava do apoio de Craig, mas ele estava ocupado demais mostrando a ela todas as escolhas erradas que ela fizera e que dificultaram sua vida, e explicando como ela poderia ter feito um trabalho melhor.

Uma noite, quando eles estavam chegando num restaurante em São Francisco, para um jantar íntimo e relaxante, Craig não parava de oferecer sua longa lista de conselhos sobre como Claire poderia ter evitado a situação complicada em que se encontrava agora. Foi então que ela disparou:

— Quer saber? Não quero mais participar dessa conversa. Não está me ajudando, e definitivamente não é disso que eu preciso agora. O que eu preciso é de uma longa caminhada sozinha e de um tempo para mim.

Claire passou duas horas andando sem rumo pelas ruas de São Francisco. Permitiu-se sentir o desapontamento profundo por não receber do marido o apoio que tanto desejava e se perguntou se algum dia ele seria capaz de apoiá-la como ela precisava. Pensou na questão mais importante: "Será que consigo viver sem o tipo de apoio que sempre esperei receber de meu companheiro?"

Princípio Wabi Sabi

Há muitas maneiras de se importar com o outro. O amor Wabi Sabi requer que sua cabeça e seu coração estejam abertos para receber o cuidado profundo de seu parceiro, mesmo que sua forma de cuidar não seja exatamente como você espera.

Envolta na enorme ansiedade e no desespero que sentia ao lidar com esses sentimentos e questionamentos, ela teve o que hoje reconhece como um momento Wabi Sabi:

— Compreendi que era através de suas opiniões e seus conselhos que Craig mostrava o quanto ele se importava comigo.

Ao entender a verdade por trás do *feedback* constante e muitas vezes não solicitado do marido, Claire conseguiu reconhecer finalmente que ele a estava apoiando de uma maneira muito útil. Percebeu que, por causa dos conselhos dele, ela havia crescido mais como pessoa do que em qualquer outro momento de sua vida e reconheceu que, graças a Craig, sua carreira ia cada vez melhor, e ela estava motivada a dar ao mundo sua grande contribuição. Sentiu seu coração se abrir ao compreender que o amor de Craig se manifestava através de seu desejo de que ela fosse bem-sucedida. Ele a apoiava mais do que qualquer pessoa.

Ela sempre achara que apoiar alguém era oferecer conforto e dizer que tudo ficaria bem, ao invés de desafiar constantemente essa pessoa a crescer e melhorar. Agora, estava pronta para admitir para si mesma que o que Craig oferecia a ela era, de fato, aquilo que ela queria e que necessitava.

Enquanto Claire caminhava pela cidade, Craig ficou dando voltas de carro pelas ruas e teve sua própria revelação. Ele sempre se esforçara para expressar o tamanho e a profundidade de seu compromisso com Claire em todos os níveis de seu relacionamento, mas agora havia compreendido que, além de suas opiniões práticas, ele também precisava dar a ela seu apoio e incentivo de forma mais afetuosa.

A caminhada de Claire terminou às portas de um hotel no centro de São Francisco, onde ela encontrou um telefone público para ligar para Craig e dizer que estava pronta para se reconectar com ele e conversar de peito aberto sobre o que havia acontecido. Descobriram, para a surpresa de ambos, que estavam a meros 50 metros um do outro, num hotel em que nenhum dos dois jamais pusera os pés antes daquela noite. A sincronia da situação arrancou risadas histéricas dos dois, e eles logo perceberam que eram, de fato, feitos um para o outro. A magia daquela noite transformou profundamente o relacionamento e solidificou sua Unidade como casal.

As belas palavras a seguir são do mitologista Joseph Campbell:

Casamento não é apenas um caso amoroso. É algo muito diferente. Casamento é um compromisso com o que você é. A outra pessoa é literalmente sua outra metade. Você e o outro são um só. Um caso amoroso não é assim; é um relacionamento calcado no prazer, e quando acaba o prazer, acaba o relacionamento. Já o casamento é um compromisso para a vida toda, o que significa que ele deve ser o foco de sua atenção. Se seu casamento não é o maior foco de sua atenção, então você não está casado de verdade*.

---

* http://thinkexist.com/quotation/marriage-is-not-a-love-affair-a-love-affair-is-a/403971.html

A Unidade Wabi Sabi acontece quando o "nós" funciona como uma âncora e trabalha a serviço do sucesso do relacionamento, opondo-se ao "eu" individualista. É uma questão de jogar no mesmo time, de tomar decisões conjuntas que sirvam ao bem maior do relacionamento. A Unidade Wabi Sabi pode, inclusive, ser fortalecida pelas diferenças.

A astrologia considera que as pessoas do signo de gêmeos são capazes de ver o mundo sob dois (ou mais) pontos de vista. Brian é geminiano e tem essa capacidade de considerar todos os lados de um debate, e é comum que ele sinta vontade de pôr em prática essa capacidade. Já eu sou capricorniana, um cabrito montês, com passos seguros; e firme em minhas convicções. De acordo com o zodíaco, somos opostos extremos, o que tem suas vantagens (alguns dizem que signos polares são a união perfeita) e seus desafios. Precisei de alguns anos para entender a habilidade natural de Brian de considerar múltiplos pontos de vista ao mesmo tempo, enquanto eu me ocupava em tentar convencê-lo a focar apenas no meu ponto de vista.

Uma das grandes paixões de Brian é ajudar pessoas desabrigadas. Todos os dias, ele anda pelas ruas e dedica parte de seu tempo para ajudar a crescente população sem-teto de nossa cidade. Muitos anos atrás, fundei uma organização para ajudar mulheres desabrigadas e seus filhos, e conseguimos arrecadar um milhão de dólares em três anos. A diferença é que enquanto Brian se sente bem andando pelas ruas e convivendo com as pessoas que ele ajuda, eu prefiro convencer outras pessoas a me dar cheques para que eu possa envolver ainda mais pessoas para ajudar os necessitados que vivem nas ruas.

No segundo ano de casamento, planejamos uma viagem para a Índia. Estávamos procurando uma pessoa para cuidar de nossos gatos, já que nosso *catsitter* habitual havia acabado de se mudar para longe. Um dia, Brian chegou em casa e anunciou que Roger, um de seus amigos sem-teto, se oferecera para cuidar de nossos bebês de quatro patas.

Depois de lembrar a mim mesma de respirar fundo, tentei, com a maior calma possível, explicar que não achava que isso era uma boa ideia. Passaríamos três semanas na Índia, incomunicáveis. E se acontecesse alguma coisa? E se um dos gatos ficasse doente? E se um dos canos estourasse ou houvesse uma inundação? Um homem sem-teto seria mesmo capaz de assumir a responsabilidade pelos nossos gatos e pela nossa casa?

Muito calmo, Brian sugeriu que eu conhecesse Roger antes de julgá-lo incapaz de cuidar das nossas coisas.

Na minha cabeça, estávamos à beira de um grande problema. Eu conhecia alguns dos amigos desabrigados de Brian, e enquanto uns eram inteligentes e falantes, ficava claro que outros não eram muito bons da cabeça. Já estava imaginando o pior.

No dia seguinte, a campainha anunciou a chegada do amigo de Brian. Roger era um esportista de sessenta e poucos anos que estava ficando careca e, de bermuda cáqui, camiseta e tênis de corrida, podia muito bem ser avô de alguém. Trocamos um aperto de mão, e ele não parou de falar sobre como Brian vivia dizendo coisas maravilhosas sobre mim. Logo descobri que ele era um engenheiro aposentado, que havia trabalhado para a Boeing, e que gostava de jogar beisebol todos os dias com seus amigos da terceira idade. Ele disse que era "pão-duro" e não queria "desperdiçar dinheiro" com aluguel, preferindo viver em seu carro. Em questão de minutos, percebi que Roger era uma pessoa muito diferente da imagem de sem-teto que eu construíra na minha cabeça. Por muitos anos depois disso, Roger foi nosso *catsitter* oficial, até que ele se mudou para Seattle. Com essa experiência, aprendi que não é porque uma pessoa não tem um lar no sentido tradicional da palavra que não devemos tratá-la com o mesmo respeito que temos por qualquer outro. Mas a maior lição foi aprender a confiar no julgamento de Brian. Depois entendi que ele jamais tomaria uma decisão que pudesse trazer qualquer risco para mim (ou nossos gatos).

A seguir, conheceremos uma parábola chinesa que fala da importância de não julgar as aparências. Da mesma forma com que julguei Roger como um irresponsável por causa de sua situação, logo entendi que ele havia encontrado uma "casa" que atendia suas necessidades. Acabamos fazendo um amigo confiável que sempre ficava em nossa casa, deixando-nos livres para viajar. Às vezes a imperfeição não é nada mais que a perfeição agindo disfarçada.

Uma chinesa já idosa tinha dois jarros grandes, um pendurado em cada ponta de um bastão que ela carregava às costas. Um dos jarros tinha uma rachadura, enquanto o outro era perfeito e levava sempre uma porção inteira de água. Ao fim da longa caminhada do rio a casa, o vaso rachado chegava apenas metade cheio. Isso acontecia todos os dias; a mulher ia até o rio e voltava para casa com um jarro e meio de água.

O pote perfeito ficava muito orgulhoso de seu feito, é claro. O jarro rachado, por sua vez, ficava envergonhado de sua imperfeição e infeliz por só poder fazer metade do trabalho que deveria. Após dois anos daquilo que considerava um fracasso amargo, um dia o vaso falou com a velha senhora à beira do rio:

— Sinto muita vergonha de mim mesmo porque a rachadura na minha lateral faz com que a água fique vazando durante todo o caminho até a sua casa.

A mulher sorriu:

— Você já percebeu que existem flores neste lado da estrada, e não naquele? Como eu sei do seu defeito, plantei sementes no seu lado do caminho. Assim, no caminho de volta, você rega as flores todos os dias. Por todo esse tempo, eu colhi lindas flores para decorar a minha mesa. Se você não fosse exatamente como é, minha casa não seria cheia de beleza.

Cada um de nós tem imperfeições únicas; nossas rachaduras e nossos defeitos são o que torna a vida em conjunto tão interessante e recompensadora. Como as peças de um quebra-cabeça que só se encaixam de uma maneira, nossas pontas e nossas curvas nos ajudam a formar ligações que não seriam possíveis de outra forma. Quando você aceita o outro como ele é, fica mais fácil encontrar o lado bom da singularidade de cada um.

Pode acontecer de a falha em alguém ser justamente a busca da perfeição – o que, no fim, pode ser muito bom. Ao contrário de muitos casais de sua geração, Bob e Tricia eram um pouco "antiquados" e resolveram não morar juntos até que se casassem oficialmente, o que aconteceu 17 anos atrás. Apaixonadíssimo após um namoro de dois anos, Bob jamais poderia ter imaginado que algumas coisas que ele desconhecia a respeito de Tricia poderiam surpreendê-lo tanto após o casamento.

Quando nada basta além da perfeição

Bob ama a criatividade e a precisão de seu trabalho como cineasta, tanto ao escrever roteiros quanto ao produzir ou dirigir um filme. Exige perfeição em seu trabalho – mas ao chegar em casa, gosta de deixar a austeridade para trás e viver uma vida despreocupada, livre e tranquila. Depois do casamento, descobriu que Tricia só conseguia relaxar quando tudo estivesse "como deveria", o que ia desde toalhas – que deveriam combinar e ficar penduradas de um jeito específico em seus devidos lugares –, até seu próprio cabelo – que deveria estar sempre impecável (para Bob, o cabelo de Tricia estava sempre lindo. Mas o humor dela piorava drasticamente se ela achava que seu cabelo estava em um dia ruim).

Na maior parte do tempo, Bob aprendeu que era melhor nadar a favor da corrente quando se tratava da busca incessante de Tricia pela perfeição, mesmo quando o foco da obsessão dela era ele próprio. No entanto, havia dias em que ele desejava poder mudar esse comportamento exagerado da esposa. Ele relembra um incidente que aconteceu durante uma viagem de carro até San Diego, quando eles foram visitar seus sogros:

— Paramos num posto de gasolina para abastecer, e, como eu estava com fome, comprei um pacote de batata frita. Tricia disse imediatamente: "Você não vai almoçar isso, não é? Sabe quantos gramas de gordura tem aí?"

Ela sabia quantas calorias e quantos gramas de gordura havia em quase tudo. Na hora em que Bob abriu o pacote de *chips*, mal sabia que esse talento particular da esposa (por mais irritante que fosse) poderia salvar vidas.

Como muitos jovens casais, estavam ansiosos para começar uma família. E apesar de ter levado mais tempo do que o esperado, ficaram felicíssimos quando Tricia engravidou com a ajuda de um especialista em fertilidade. Ela logo começou a fazer planos, pintando e aprontando o quarto do bebê.

Uma noite, estava chegando em casa quando viu Tricia ser levada de maca para dentro de uma ambulância, parada na frente de sua casa. Correu para o lado da esposa, aterrorizado. Ela sentia dores excruciantes e foi levada com urgência ao hospital.

Lá ficou constatado que ela torcera o ovário e que isso havia causado aquela dor toda. O médico que fazia a ultrassonografia continuou olhando para a tela que mostrava dois espaços obviamente escuros.

Com calma, Bob perguntou:

— São gêmeos?

— São, sim, e estou tentando determinar se não serão, na verdade, trigêmeos — respondeu o médico.

Ficou confirmado, alguns minutos depois, que Tricia estava esperando trigêmeos. Mas o especialista em fertilidade jogou mais uma bomba sobre o casal, que já estava aterrorizado, e sugeriu que eles eliminassem um dos bebês, afirmando que Tricia estava apta para se submeter a uma "redução fetal". Ela, que era terapeuta, havia testemunhado de perto o sofrimento e a discórdia que decisões como aquela podem causar em casais que passam por gravidezes de alto risco. A decisão a respeito da redução não costumava ser o principal foco de problemas; ao invés disso, eles apareciam quando o casal resolvia não fazer a redução e algum dos bebês nascia, como era comum, com algum distúrbio genético. O cuidado de bebês que apresentam esse quadro exige dedicação e tempo, além de gerar grande estresse financeiro, e esses são os maiores fatores responsáveis pelo esfacelamento de muitos casamentos. O obstetra teve conversas separadas com cada um deles e também expressou grande preocupação com a saúde dos bebês e o impacto sobre o casamento. Apesar dos avisos de ambos os médicos, as crenças espirituais de Bob e Tricia os levaram a aceitar sem hesitação a existência de seus bebês, e eles foram para casa se preparar para aquelas bênçãos inesperadas.

Tricia era uma paciente-modelo e, na 15ª semana, foi a mais um de seus *check-ups* regulares. Cercados pelo obstetra e pela equipe em que tanto confiavam, eles perceberam pela expressão do médico que havia algo muito, muito errado. Ele explicou com grande urgência que Tricia estava entrando em trabalho de parto antes da hora e que, para salvar os bebês, ela teria que fazer repouso absoluto. Disse, em tom peremptório:

— Você precisa me dar três meses perfeitos de repouso total, para que possamos trazer ao mundo três bebês perfeitos. Nada de caminhadas, nada de cinema, nada de nada. Você só pode sair da cama para ir ao banheiro e para tomar banho, uma vez por dia.

Bob pesquisou maneiras de ajudar Tricia e os bebês e descobriu uma dieta especial para gravidezes múltiplas, a dieta Brewer, que pedia que a futura mamãe (magra a vida toda e muito criteriosa com sua alimentação) não apenas comesse uma variedade de comidas de que não gostava muito, como também engordasse cerca de 30 quilos.

— Graças a deus pelo seu perfeccionismo, meu amor — disse ele. — Precisamos que você monitore muito bem cada copo d'água e cada garfada de comida para que nossos bebês fiquem fortes e saudáveis.

Com uma devoção impecável, Bob preparava cada uma das refeições de Tricia, e ela comia e bebia tudo com vontade. Bob fazia todos os tipos de refeição saudável como omeletes de queijo feta, milk-shakes, bifes de carne vermelha e hambúrgueres de peru. A cada refeição, ela bebia baldes de água. Ambos entendiam muito bem o que estava em jogo e contavam com o perfeccionismo dela para salvar a vida de seus três filhos que estavam por nascer.

O médico continuou alertando para os riscos daquela situação e explicou que Tricia deveria chegar até a 24ª semana (que coincidiria com o dia do trabalho norte-americano, um feriado nacional na primeira segunda-feira de setembro). Caso contrário, ele insistiria pela redução, uma hipótese que eles nem queriam considerar.

— Não estou preocupado em perder seus bebês — dizia ele. — Estou preocupado com a grande possibilidade de que um ou mais deles nasçam com uma doença genética e que o casamento de vocês seja destruído pelo estresse de criar filhos com essa condição.

Bob acreditava do fundo do coração que o casamento era forte o bastante para resistir a tudo. Tricia escutava hinos, e ambos rezavam diariamente. Seus amigos e familiares também rezavam por eles.

No dia do trabalho, as contrações de Tricia ficaram muito fortes. Correram para o consultório médico, onde ela foi posta em uma maca. Antes que o obstetra pudesse examiná-la, ela disse:

— Não vou desistir. Estamos totalmente comprometidos com nossos três bebês.

O médico ficou preocupado e disse que qualquer movimento de Tricia podia arriscar um parto prematuro. Sua indicação? "Precisamos de mais dois meses perfeitos".

Tricia e Bob prometeram que conseguiriam mais dois meses perfeitos de repouso total. Fariam o que fosse preciso para ajudar seus três anjinhos. Por fim, conseguiram completar 35 semanas, e, após uma cesariana, os três bebês vieram ao mundo pesando cerca de 1,5kg. Apesar de muito pequenos, eram perfeitos.

Delirando de felicidade, cansaço e alívio, Bob estava lá para cortar o cordão umbilical de seus três filhos.

Os esforços de Tricia para seguir ao pé da letra as orientações do médico foram extraordinários, e isso mostrou a Bob o lado positivo do perfeccionismo da esposa. Bob é até hoje (e será para sempre) muito grato por ter se casado com Tricia e acredita do fundo do coração que o perfeccionismo dela foi o que salvou a vida de seus filhos.

— Quando voltamos para casa e começamos a cuidar deles, fiquei ainda mais grato por ela ser exatamente como é — confessa ele. — Cuidar de três bebês e mantê-los alimentados é uma tarefa que requer um grau impressionante de organização e precisão para acompanhar as mamadas, as trocas de fraldas e os outros milhões de pequenos detalhes.

A vida de Bob e Tricia é feliz e plena, graças, em grande parte, ao amor que desenvolveram pela perfeição – e um pelo outro. O casal emergiu dessa experiência como um time unido e forte, transbordando amor, confiança e gratidão.

Caso algum de vocês esteja pensando que essa história (uma ode à perfeição) contraria os princípios Wabi Sabi, peço que considere a seguinte palavra: paradoxo. Um paradoxo é algo que parece contraditório, mas na verdade expressa uma verdade não dual. Wabi Sabi é a arte de encontrar a beleza e a perfeição dentro da imperfeição. O caráter Wabi Sabi da história que acabei de contar está no fato de que o perfeccionismo de Tricia, que era considerado por Bob como um grande problema, uma pedra no caminho, é hoje celebrado por ele como o grande responsável pela saúde de seus trigêmeos. Eis uma outra maneira de dizer isso: aquilo que hoje deixa você louco ainda pode se tornar algo por que você seja grato.

A gratidão tem uma relação próxima com a abundância em nosso pensamento. Se estamos presos a uma mentalidade da falta, concentramo-nos mais no que não temos ao invés do que temos. O modo como você pensa no dinheiro revela muito sobre o quão abundante é o seu pensamento.

Opiniões divergentes sobre a administração do dinheiro podem minar a conexão do casal e até ameaçar seu casamento. Jeffrey Dew, professor assistente de estudos da família na Universidade Estadual de Utah, descobriu que brigas por causa de dinheiro estão entre os maiores prenúncios do divórcio. Sua pesquisa do Projeto Nacional sobre o Casamento, da Universidade de Virgínia, revelou que casais que relatavam desentendimentos por causa de dinheiro uma vez por semana tinham 30% a mais de chance de se divorciarem, se comparados a casais que tinham cerca de duas discussões financeiras ao mês. Em conversas sobre dinheiro, é muito comum que fiquem implícitos nosso medo de solidão, pobreza e abandono. Um casal formado por um poupador e um gastador pode acabar em desastre.

Há gerações, minha família é muito consciente a respeito da pobreza, e eu sempre tive uma visão muito clara a respeito do que nós não possuíamos. Lembro-me de ouvir, quando criança, uma série de histórias dos meus avós de ambos os lados da família sobre a época da Grande Depressão, quando meus pais ainda eram bebês e eles eram muito pobres. Além dessas histórias, as brigas sem fim de meus pais por causa da falta de recursos programaram meu cérebro para desejar *e* temer o dinheiro. Quando era jovem, meu maior medo era terminar sem nada, vivendo nas ruas, carregando minhas poucas posses numa única bolsa. Por isso, sempre fui muito cuidadosa com o meu dinheiro. Pagava minhas contas sempre em dia e nunca acumulava dívidas no cartão de crédito. Só comprava roupas e móveis que estivessem em liquidação e, quando havia algo especial que eu quisesse comprar ou fazer (como um carro novo ou tirar férias), economizava dinheiro só para isso. Acabei ficando muito orgulhosa da minha classificação de crédito e desenvolvendo um sentimento de segurança financeira.

Quando me casei com Brian, fiquei fascinada (e ao mesmo tempo um pouco assustada) com sua relação tranquila com o dinheiro. Apesar de vir de uma família que tinha sempre um pouco mais do que o necessário, e de ter conquistado sucesso financeiro bem no início de sua carreira, ele diz com frequência que não se incomodaria se tivesse que viver debaixo da ponte. Argh! Brian trabalha há muitos anos com os desabrigados, e já houve várias noites em que ele preferiu dormir nas ruas para obter um entendimento mais profundo sobre a vida dos sem-teto. Sociável, confiante e generoso, ele sente um prazer imenso em levar os amigos para jantar e pagar a conta sozinho. Quando o meu dinheiro e o dinheiro dele viraram "nosso" dinheiro, sempre me pegava julgando-o silenciosamente por seus excessos. No meu mundo, a coisa decente a fazer seria dividir a conta, a não ser que fosse aniversário de alguém ou algum outro evento especial, o que faria de um dos comensais o convidado de honra (em todo o caso, quem é que *cria* essas regras?).

Um dia, resolvi ser direta e perguntar a ele por que ele bancava o Ligeirinho na hora de pegar a conta antes de todos e pagar tudo sozinho. Ele pareceu surpreso e disse simplesmente:

— Porque pagar a conta faz o meu coração cantar. Mais importante do que isso, acredito que dinheiro é energia e que a generosidade do espírito encontra muitas formas boas de voltar para nós.

Então, perguntei-me: "Dividir a conta teria feito o meu coração cantar?". Claro que não! Naquele momento Wabi Sabi, decidi deixar que essa apreensão, essa coisa que eu tinha com a conta, voltasse para o lugar vazio de onde veio. Sempre que meu receio da pobreza põe sua cabeça insegura e mesquinha para fora, o que acontece de tempos em tempos, eu paro, reconheço o meu medo e faço a escolha consciente de retornar a um estado mental de abundância.

Ao longo dos anos, Brian e eu viramos uma equipe, unidos pelo amor e pela confiança. Ele escuta minhas opiniões, eu escuto as dele, e então fazemos escolhas considerando nossa prioridade número um: fazer o que for melhor em longo prazo para o nosso relacionamento e servir a um bem maior.

Peggy e Denis se apaixonaram, e não tardou para que descobrissem ter visões radicalmente divergentes sobre o dinheiro. Dando a eles o devido crédito, eles aproveitaram essa oportunidade Wabi Sabi para mesclar seus pontos fortes financeiros particulares e criaram uma abordagem que permite que ambos tenham paz de espírito.

Amor, dinheiro e redes de segurança

Quando foram morar juntos, Denis fez uma série de perguntas muito diretas a Peggy sobre dinheiro e sobre o negócio dela. Todos sabem que existe uma diferença palpável entre responder a algumas perguntas casuais e sofrer um interrogatório. O tom de voz de Denis fez com que Peggy se sentisse em um porão escuro e sufocante, sentada sob uma lâmpada solitária, se é que você me entende. O resultado disso foi uma suspeita cada vez maior de que seu marido não confiava em suas decisões relacionadas ao dinheiro.

Naquela época, a casa em que moravam pertencia a ela. Peggy era naturalmente empreendedora e possuía e gerenciava uma empresa bem-sucedida de consultoria. Apesar de seu sucesso profissional, Denis vivia fazendo perguntas como: "O que acontece quando os negócios não vão bem?", "O que você faria se a receita parasse de entrar?" e "Qual é o seu plano B?".

Até conhecer Denis aos quarenta e poucos anos, Peggy sempre cuidara sozinha de suas responsabilidades financeiras. Era dona do próprio negócio e tirava dele uma renda muito satisfatória. É claro que empreender envolve correr riscos, mas Peggy acreditava em confiança e compromisso sério no cumprimento de suas obrigações financeiras, o que fazia com tranquilidade e harmonia. Resumindo, tinha a atitude de abundância financeira, não de medo ou privação.

Denis, que era cauteloso por natureza, foi piloto das forças armadas, e seu treinamento exigia que ele jamais entrasse em um avião sem um plano de emergência. O que ele via como pensamento estratégico, aos olhos de Peggy, era negatividade. Ela punha a ênfase na possibilidade; ele, na cautela.

Para Peggy, o interrogatório de Denis significava que ele não confiava e não acreditava nela. Em certo grau, ela se sentiu atacada e ficou surpresa com sua atitude implacável.

Uma noite, ela resolveu chegar ao fundo da questão durante o jantar.

Após abordar o assunto com calma, Peggy perguntou por que ele estava tão preocupado com dinheiro, já que ambos estavam bem financeiramente. Denis revelou que sua esposa anterior era muito irresponsável com dinheiro e contou como, num determinado ano, ela gastou o dobro do que ganhava. Isso gerou um pesado fardo financeiro que pesou sobre uma relação que já ia mal das pernas. Os altos gastos de sua ex-esposa geraram extrema tensão no relacionamento, e Denis nunca mais queria passar por isso novamente. Como Denis era treinado a sempre ter um plano B, precisava se assegurar de que tudo ficaria bem caso Peggy não pudesse contribuir no orçamento devido a algum acidente ou doença. Sua apreensão vinha da possibilidade de todo o fardo financeiro recair sobre ele caso ela não pudesse colaborar, e não da falta de confiança ou fé em suas escolhas profissionais; ele só precisava saber que tudo estava em seu devido lugar para poder ter paz.

Repassando a conversa em sua cabeça algumas noites depois, Peggy teve uma revelação. Estavam juntinhos no sofá assistindo a uma partida de hóquei na TV e comendo sua pizza preferida, quando de repente ela entendeu que, se combinassem seus pontos de vista em relação ao dinheiro, eles teriam algo de valor incalculável: segurança em longo prazo e paz de espírito. Percebeu que sua atitude positiva em relação à abundância poderia se combinar de forma harmoniosa com a cautela de Denis, que estava sempre preparado para desafios inesperados.

O diálogo do casal sobre dinheiro resultou em duas coisas boas: respeito e visão de longo prazo. Quando Peggy compreendeu a origem dos receios de Denis, adquiriu três tipos diferentes de seguro e fez alguns investimentos para ampliar a rede de segurança do casal. Também aprendeu a respeitar a forma com que o marido lidava com o dinheiro e parou de tentar convertê-lo à sua forma de pensar. A história de Peggy e Denis mostra como até mesmo o dinheiro, terreno pantanoso dos relacionamentos, pode representar uma oportunidade de fortalecer os laços do casal.

Brian e eu sempre sonhamos em nos tornarmos filantropos um dia. Ambos gostamos de apoiar boas causas, e gosto de pensar em nós dois como "grandes filantropos em treinamento".

Um dos métodos que imaginamos para custear nosso sonho é ganhar na loteria. Você talvez se lembre que, na introdução do livro, contei que minha avó Ada ganhou uma pequena quantia na loteria uma vez, e eu tenho esperanças de que a boa sorte dela corra nas veias da família. Assim sendo, compramos muitos bilhetes de loteria, e cada um de nós tem seu jogo preferido. Quando começamos com esse hábito, passei uma noite em claro pensando em tudo que poderia dar errado caso ganhássemos mesmo (é verdade... Mesmo após anos de terapia, *workshops* e livros de autoajuda, ainda tenho meus momentos neuróticos).

E se brigássemos sobre em que gastar o dinheiro? E se estranhos começassem a fazer fila em nossa porta, com as mãos estendidas?

Havia lido muitas histórias de ruína e desgraça que acometeram ganhadores da loteria no passado e queria me certificar de que isso não aconteceria conosco. Tivemos muitas conversas animadas sobre esse assunto, porque ambos temos muita consciência do impacto que o dinheiro pode ter em um casamento. Felizmente, já fizemos um acordo antecipado que especifica como gastaremos nossos ganhos na loteria.

Só porque é divertido, tente essa brincadeira com seu companheiro e veja o que acontece:

Pegue uma nota de 1 real . Peça ao seu parceiro para escrever o que ele faria com ela e depois faça o mesmo. Agora aumente o valor para dez. Repita o exercício até chegar a um milhão. Conversem sobre os resultados, e ouça seu companheiro sem filtrar o que ele diz com suas próprias opiniões sobre dinheiro. Se surgirem objeções em sua mente, reconheça-as e mande-as embora. Use esse exercício para começar a aprender mais sobre a origem das atitudes de seu parceiro no que diz respeito ao dinheiro. Compreender suas crenças pode aliviar a pressão sem necessariamente promover mudanças na forma com que vocês administram seu patrimônio conjunto.

EXERCÍCIO:
Reconectando-se com seu amor e resolvendo conflitos

Compre um pequeno caderninho e comece um "diário do reconhecimento". Toda vez que seu companheiro disser ou fizer algo que você ame ou que te inspire, anote no diário para não esquecer. E então, a intervalos regulares, compartilhe seu reconhecimento ao ler o diário para o seu parceiro, em voz alta ou sussurrando em seu ouvido. Antes de conversas importantes sobre dinheiro, filhos ou qualquer outro assunto, releia o diário para reavivar em sua memória os motivos pelos quais você ama seu companheiro.

Dr. John Gottman, renomado pesquisador especializado em casamentos, constatou que casais felizes têm tantas discordâncias quanto casais que se divorciam. A diferença está no modo com que lidam com esses desacordos. Segundo Gottman, ao tentar resolver as diferenças, é essencial evitar quatro padrões relevantes:

Crítica (atacar o caráter do outro)

Desdém (depreciar o outro)

Defensiva (culpar o outro ou contra-atacar o caráter do outro)

Bloqueio (distanciamento, remover-se da situação)

Além disso, é importante escolher o momento certo para uma discussão. Situações de cansaço, fome ou pressão no trabalho, ou ainda quando as crianças estão por perto, são exemplos de momentos inadequados. Inicie a conversa com respeito e afeto mútuos e esteja disposto a falar e ouvir com o coração. Aborde as questões que o incomodam de forma gentil, suave e calma, começando com "Eu me sinto ____" ao invés do acusatório "Você fez _____". Concorde em explorar ao invés de resolver. Pesquisas comprovam que 70% dos problemas não precisam ser resolvidos, apenas mais debatidos. Os três primeiros minutos são determinantes. Em mais de 95% das vezes, a forma como uma discussão começa dita o tom do restante da conversa.

O amor Wabi Sabi requer responsabilidade, confiança e unidade. Convoca-nos a ser responsáveis por cuidar uns dos outros, incentivar uns aos outros em todos os níveis – corpo, mente e espírito – e honrar os votos matrimoniais "na saúde e na doença". A Unidade Wabi Sabi significa estar no mesmo time, trabalhar pelo sucesso do outro e confiar em quem vocês são como casal. Entram nessa categoria a responsabilidade pela saúde financeira da família e pelos detalhes do convívio diário, bem como criar filhos, cuidar de pais idosos, ser membro da comunidade e, por fim, o lugar que cada um de vocês ocupa no mundo.

EXERCÍCIO:
Vivenciando a Unidade

Gay e Kathlyn Hendricks, dois dos meus especialistas em relacionamentos preferidos, revelaram pesquisas que provam que um abraço de 20 segundos é a forma mais rápida de se conectar ao seu companheiro. Um abraço longo libera oxitocina, que é um hormônio neurotransmissor que ajuda na conexão. Conhecida como o hormônio do amor, a oxitocina é um antidepressivo e ansiolítico natural. Cria sentimentos de calma e de conexão, e efetivamente altera a forma como vemos o mundo. O universo parece um lugar melhor quando você se sente tranquilo e amado. Quem não iria querer mais uma dose disso?

O objetivo deste exercício é conectar-se profundamente com seu companheiro e vivenciar sua Unidade. Comece com um abraço apertado de 20 segundos (ou mais): posicionem-se um de frente para o outro, de forma que a área de seus corações fique em constante proximidade, coloquem os braços ao redor do outro e espalmem as mãos nas costas do parceiro, na área mais próxima ao coração. A ideia é ficar o mais próximo possível, mas de um modo que seja confortável para os dois. Respirem com suavidade, mas profundamente, e, se tiverem vontade, adicionem alguns efeitos sonoros... Alguns "hmmms", "aaaahs" e suspiros podem tornar a experiência mais profunda.

Então, depois do abraço, sentem-se de frente um para o outro, em cadeiras ou de pernas cruzadas no chão. Deem as mãos.

Então, dirija sua atenção a si mesmo.

Sinta seu corpo.

Preste atenção em sua respiração... Você está respirando rápido ou devagar, pela boca ou pelo nariz? Sinta a temperatura do quarto.

Depois, deixe que sua consciência flua de você para seu companheiro e preste atenção em algo em seu corpo. Repare o subir e descer de seu peito com a respiração. Veja se consegue determinar que ponto de seu corpo concentra mais tensão. Sinta o calor de suas mãos. Olhe no fundo de seus olhos... não como num jogo do sério, e sim com os olhos do amor, e permita-se piscar ou olhar para outro lugar tanto quanto quiser. Permita-se ver seu parceiro de uma forma completamente nova, e ele fará o mesmo.

Então, tente sincronizar sua respiração com a dele, da melhor forma que puder. Isso os levará à coesão e à Unidade.

Visualize seu coração se abrindo e enviando mensagens silenciosas de amor, reconhecimento e gratidão. Então volte sua atenção para si mesmo e tente receber as mensagens silenciosas de amor, reconhecimento e gratidão que seu companheiro está lhe mandando.

Para muitos de nós, é mais fácil dar do que receber, então faça um esforço para se abrir a esses presentes preciosos que seu companheiro está lhe dando. Fiquem juntos por cinco minutos (ou mais), enviando e recebendo amor, em silêncio, com a intenção de viver a alegria pura de relembrar sua Unidade.

Como muitos casais que passam muito tempo juntos, é muito comum que Brian e eu terminemos as frases um do outro. Mas às vezes ficamos pasmos com nossa capacidade de nos comunicarmos telepaticamente. Brian se recusa a ter um telefone celular, mas nunca estamos fora do alcance um do outro. Quando preciso falar com ele, é só fechar os olhos e pedir a ele por pensamento que me ligue ou me mande um e-mail, e em alguns minutos ele costuma entrar em contato comigo. Nossa comunicação não verbal também se manifesta de outras formas. Moramos numa casa antiga, com quartos pequenos, de modo que meu closet é na suíte *master,* e Brian usa o do quarto de hóspedes. Nos vestimos em nossos respectivos closets, e é muito raro que tenhamos qualquer conversa prévia sobre o que vestir para o dia. Nove em dez vezes, percebemos ao nos ver que escolhemos a mesma cor e parecemos combinar a roupa de um com a do outro! Essa é outra forma através da qual estamos misticamente sincronizados.

Mesmo que sejamos parecidos com o outro em muitos aspectos, ainda somos seres individuais com formas únicas de ver o mundo. A Unidade Wabi Sabi não prega a codependência, e sim a expressão de dois indivíduos fortes que decidem misturar suas vidas numa única criação amorosa.

NOVE

A arte pessoal da felicidade

"Amor não domina, cultiva."

— Johann Wolfgang Von Goethe

Eu estava quase caindo no sono naquele avião cheio e apertado, quando a comissária de bordo começou sua rotina de procedimentos de segurança. Fechando a fivela do cinto e soltando a trava com destreza adquirida com a prática, ela sorriu para os passageiros, apesar da muralha de desatenção que costuma cercar aqueles que voam com muita frequência. Minha vista começou a borrar o amarelo brilhante do colete salva-vidas que a esbelta comissária estava vestindo, então fechei os olhos na esperança de que o sono viesse logo. Acalentada pelo sotaque sulista da moça e pelo ruído branco das turbinas do avião, entrei num leve estado de coma – até que algo que ela disse capturou minha atenção:

— Em caso de despressurização da cabine, máscaras de oxigênio cairão automaticamente. Coloque primeiro a sua, e só então procure ajudar quem estiver do seu lado.

Como tenho centenas de milhares de milhas voadas em minha bagagem, já ouvi essa frase cada vez que viajei em voo comercial – logo, mais vezes do que poderia contar. Mas foi só naquele dia, apertada em um assento de janela que mostrava o asfalto passando sob as rodas do avião, que ouvi de verdade a frase.

Para ajudar outra pessoa, primeiro é preciso cuidar de mim mesma. Era necessário me certificar de que meu corpo estivesse recebendo oxigênio suficiente antes de sequer pensar em ajudar e cuidar de outra pessoa. Analisando essa informação aparentemente nova para mim, percebi que muitas de minhas atitudes não contribuíam para o meu bem maior – como, por exemplo, todas as vezes que deixei de fazer meus exercícios para cumprir um prazo no trabalho, comi com pressa uma refeição pobre para poder dedicar mais tempo a algo que considerei mais importante que a minha própria nutrição ou fiquei acordada até muito tarde escrevendo uma *proposal* para um novo cliente em potencial. O que eu tinha eram desculpas teoricamente aceitáveis para não dedicar tempo e energia para cuidar de mim mesma. Na minha ingenuidade, acreditava que me pôr em primeiro lugar faria de mim uma pessoa autocentrada, até mesmo egoísta.

Quando Brian e eu fomos morar juntos, passei a observar sua rotina. Ele acordava todos os dias entre 4h30 e 6h da manhã. Passava um café, fazia uma pequena refeição, lia o jornal e saía para correr e fazer exercícios por umas duas horas. Seis dias por semana, no mínimo. E na maior parte das vezes, ainda encaixava uma série menor de exercícios no meio da tarde. Ele ainda conseguia arrumar tempo para meditar e para trabalho voluntário, e nunca deixava de fazer uma refeição sequer. Ele era – e é – uma das pessoas mais consistentes que eu já conheci. Logo entendi que Brian já sabia que se dedicar a cuidar de si mesmo

– corpo, mente e espírito – era a melhor maneira de recarregar suas baterias e, assim, poder dar mais de si para mim e para todos à sua volta. Acredite, esse é um cara que sorri até quando está dormindo!

Através da observação e também por osmose, comecei a adotar um pouco da consistência de Brian. Não, nunca serei capaz de malhar duas horas por dia, mas finalmente consigo me exercitar quase todo dia e aprendi que os resultados de me pôr em primeiro lugar são paz de espírito, boa saúde e felicidade generalizada.

Regra nº 1: Faça-se feliz

A família de Michelle vivia com receio de que ela jamais achasse o homem ideal para ela. Bonita, alta, atlética, inteligente e engraçada, formada em uma universidade de grande prestígio, Michelle era exigente ao extremo a respeito dos homens com quem saía. Seu irmão dizia que ela nunca dava chance a ninguém*:

— Você mastiga os homens e depois os cospe fora, porque nenhum deles parece ser tão bom quanto o papai.

Acostumada a se defender, Michelle disse mais de uma vez:

— A vida é minha. Pare de se preocupar comigo. Não estou procurando alguém como o papai, mas também não vou me

* Obrigada a Christopher Andersen, autor de *Barack and Michelle: Portrait of an American Marriage*, por permitir que usasse seu trabalho como base para a minha história.

contentar com pouco. O cara certo para mim está em algum lugar, e eu saberei que é ele assim que o conhecer.

Michelle estava entre os poucos advogados negros da Sidley & Austin, um escritório de prestígio em Chicago, quando foi designada para supervisionar um calouro da Escola de Direito de Harvard que trabalharia com eles durante as férias de verão. Ela soube pelo boca a boca que ele era atraente e tinha um grande intelecto, mas ela estava decidida a não investir em encontros amorosos, para focar apenas em sua carreira.

Antes da chegada de sua mais nova responsabilidade, ela leu seu currículo impressionante e concluiu que passaria o verão cuidando de um *nerd* intelectual que, ainda por cima, tinha um nome muito esquisito: Barack Obama.

Logo no primeiro dia, durante o almoço, Michelle percebeu que Barack era engraçado, com um humor autodepreciativo, e que, apesar de sua criação exótica (vinha de uma família birracial e crescera no Havaí e na Indonésia), ele era simples e despretensioso.

Barack relembra que ficou instantaneamente atraído por Michelle – seu riso, sua altura e sua beleza. Era simples: rolou um clima entre eles. Ainda assim, Michelle deixou muito claro que tinha grandes planos para sua vida, que estava em ritmo acelerado em busca do sucesso e que não tinha tempo para distrações – muito menos para homens.

No mês seguinte, Barack correu atrás dela de maneira incansável: chamou-a para sair todos os dias, mandou bilhetes e flores e flertou com ela sempre que pôde. Mesmo assim, ela resistia.

Tudo mudou numa manhã de domingo, quando ela concordou em ir com ele a uma reunião comunitária no porão de uma igreja, onde ouviu, fascinada, um discurso de Barack sobre "o mundo como é e o mundo como ele deveria ser".

Àquela altura, ela já havia passado tempo suficiente com ele para saber que ele era um ser humano excepcional, mas ficou profundamente tocada ao testemunhar o cuidado e a compaixão que ele tinha pelo mundo. Chegou a pensar: "Quero me casar com alguém que tenha convicções tão fortes como as dele".

Compartilhavam a vontade de oferecer uma vida melhor aos afro-americanos como eles e acreditavam em melhorias nos sistemas de saúde, habitação e educação. Barack confessou para Michelle que acreditava no próprio potencial de se tornar um catalisador de mudanças através da política.

Finalmente começaram a sair, e quando Barack voltou à Escola de Direito de Harvard no fim do verão, já estavam comprometidos.

Casaram-se em 1992 e começaram a construir sua vida juntos em Chicago. Michelle era a maior responsável por sustentar a casa, enquanto ele trabalhava em sua carreira política. Muitos de seus maiores problemas apareceram já naquela época: ambos tinham uma dívida imensa em forma de crédito universitário. Enquanto ela administrava as finanças da família, ele era descuidado com o dinheiro. Ele também fumava um cigarro atrás do outro e era desleixado – não via problema algum em deixar roupas espalhadas e largar a toalha molhada no chão do banheiro.

Alguns anos depois, quando ele foi eleito senador pelo estado de Illinois, o casamento deles estava por um fio.

Ele estava completamente engajado com sua carreira na política, em Springfield, enquanto Michelle, que ficara em Chicago, se esforçava para trabalhar em tempo integral e criar as duas filhas do casal, e sentia-se cada vez mais sozinha, cansada, irritada, abandonada, sobrecarregada e fora de forma. Preocupava-se cada vez mais com a hipótese de precisarem pedir falência no futuro.

— Ele parece acreditar que não há problema em sair em busca de seus sonhos e deixar todo o trabalho duro para mim — reclamou Michelle, em uma conversa com sua mãe.

Do ponto de vista de Barack, ele estava comprometido com questões maiores, e muitas das reclamações de Michelle pareciam mesquinhas.

— Eu amo a Michelle — disse ele para sua avó, Toot —, mas ela está me matando com suas críticas constantes.

Estavam à beira de uma crise.

Um dia, às 4h30 da manhã, Michelle percebeu de repente que se ela simplesmente levantasse e fosse para a academia pôr os exercícios em dia, Barack (que dormia a sono solto do lado dela) seria obrigado a cuidar das crianças quando acordasse. Pé ante pé, Michelle pegou suas coisas e foi para a academia. De fato, quando voltou, constatou que as meninas estavam alimentadas e cuidadas, e que tudo estava bem.

Daquele dia em diante, Michelle adotou essa nova rotina toda vez que Barack estava em casa.

Começou a ter uma abordagem diferente para os problemas em seu casamento. Até então, esperara que Barack a fizesse feliz, mas como diz a frase atribuída à Irmã Mary Tricky, "Se você quiser realmente ser feliz, ninguém será capaz de te impedir". Michelle queria que todas as mudanças viessem de Barack, mas agora entendia que ela precisava parar de ficar brava com ele e começar a resolver problemas. Aos poucos, mas com muita determinação, começou a reunir os recursos de que precisava para se fazer feliz, ou seja, conseguir mais tempo e espaço para se dedicar a si mesma.

A mãe de Michelle sempre se oferecia para cuidar das crianças, e depois de tanto tempo, ela decidiu aceitar. Também conseguiu um emprego novo que pagava melhor e era menos estressante. É claro que ser casada com um político exigia sua cota de sacrifícios, mas, como costumava dizer ao marido, "não estou fazendo isso sozinha".

Ela insistiu que os domingos fossem reservados para a família e que Barack se esforçasse para arrumar tempo de se envolver ativamente na vida das meninas, frequentando reuniões de pais na escola e indo a recitais. Conseguiu instaurar a ordem onde antes houvera o caos.

No meio de tantas mudanças, Michelle teve uma epifania: lembrou-se daquele homem por quem havia se apaixonado e voltou a abraçar o sonho que compartilhava com ele: influenciar de forma positiva as vidas de milhões de pessoas.

Com a mesma determinação que aplicava a todos os aspectos de sua vida, encontrou uma forma de viver esse sonho ao mesmo tempo em que trabalhava para que seu casamento, sua família e ela própria fossem felizes e plenos.

Princípio Wabi Sabi

Além de cuidar de nossos companheiros, o amor Wabi Sabi exige que tenhamos a responsabilidade pessoal de cuidar de nós mesmos – corpo, alma e espírito.

Em seu aclamado livro *Divórcio espiritual*, minha irmã Debbie explica: "Muitos de nós consideram que suas necessidades emocionais, físicas, financeiras e espirituais devem ser satisfeitas por seus companheiros. Essa é uma tarefa muitas vezes impossível para aqueles a quem damos a grande responsabilidade de nos fazer felizes."

Como Michelle Obama descobriu, o importante é entender que nossa felicidade depende apenas de nós. A felicidade vive dentro de você, e a responsabilidade pelas escolhas que você faz – como vestir primeiro sua própria máscara de oxigênio – é toda sua. Tornar-se a fonte da própria felicidade é uma missão nobre e exige que você escute com atenção os pedidos sussurrados pela sua alma.

A jornada rumo à nossa própria felicidade às vezes nos leva por vales e caminhos escuros. Laura encontrou o caminho de volta à felicidade da maneira mais inesperada.

Nos braços da entrega

— Eu não te amo mais. Não tenho mais certeza se já te amei um dia.

Foi o que o marido de Laura disse a ela, numa noite de verão que mudaria suas vidas para sempre, momentos antes de pegar o último saco de lixo e sair para levá-lo para a lixeira. Casada havia 15 anos, Laura observou através da janela a paisagem estonteante do interior de Big Sky, em Montana, e reagiu à notícia de uma forma diferente do que se esperaria de uma típica garota americana. Podia ter tido uma crise de choro de parar o coração ou um ataque de raiva de pôr a casa abaixo. Em vez disso, ela recuperou o equilíbrio, ergueu um sinal de "Pare" para os medos que tentavam dominá-la e surpreendeu o marido com a verdade mais sincera:

— Eu não acredito. Acho que o problema é o seu próprio sofrimento.

Por mais de um ano, Laura assistira ao declínio lento, mas constante, do marido. O negócio dele ia de mal a pior, e seu corpo, que fora definido e forte, estava com um aspecto triste que refletia o que Laura sabia que ele sentia por dentro.

Laura conhecia o marido havia mais da metade de sua vida. Sabia que era um homem bom, um pai presente e um marido sempre fiel, amoroso e encorajador, apesar de seu hábito atípico recém-adquirido de ficar na rua até altas horas. Ela cogitou a possibilidade de ele estar tendo um caso, pensamento que gritou em seu ouvido mais de uma vez. Apesar da suspeita, ela escolheu acreditar nele quando ele negou estar envolvido com outra pessoa.

Na cabeça dela, eles eram um casal feliz na maior parte do tempo. Compartilhavam seus sonhos e apoiavam-se mutuamente, viviam uma vida idílica em Montana em oito hectares de terra, onde criavam seus dois filhos em meio a cachorros, cavalos, plantas e viagens de aventura.

E agora seu marido estava virando tudo de cabeça para baixo.

— Não sei se ainda tenho algo para te oferecer — disse ele, durante uma conversa sobre o futuro.

Ele disse que se sentia preso. Desesperado. Literalmente sufocado. Tentando combater sua infelicidade, tudo o que ele queria era ficar sozinho, longe de sua família. Ele achava que os filhos iriam entender – afinal, queriam vê-lo feliz, não é?

Laura inspirou fundo o ar frio da manhã enquanto pensava nas palavras dele. Por mais que fosse difícil escutá-las, no fundo, sabia que a dor, o desespero e os problemas de seu marido não podiam ser resolvidos por ela. Tentando se manter calma por fora e por dentro, ela respondeu:

— Como podemos dar a distância que você precisa, sem prejudicar a nossa família?

Cego pelo seu próprio sofrimento, ele não entendeu a pergunta dela. Ele só sabia que precisava sair de casa.

— Você precisa de uma aventura — sugeriu ela, oferecendo uma lista de ótimas opções: um *walkabout* na Austrália, longa caminhada que é um rito de passagem entre os aborígenes; trilhas no Nepal; comprar uma bateria; uma viagem de pesca para o Alasca; acampar em uma praia em Baja; transformar a garagem em um lugar só para ele.

Embora não visse problema em se afastar da família, ele ficou muito preocupado com a noção de abandonar seu sócio nos negócios, e suas reclamações nesse sentido (além de uma série de desculpas) mataram a ideia de uma terapia de aventura.

Laura estava determinada a se manter o mais centrada possível. Buscou na internet "separação responsável" e mostrou a ele o que seria necessário fazer caso ele realmente quisesse ir em frente com a ideia de deixar a família. A lista englobava tudo, desde a divisão de cartões de crédito até a melhor forma de se comunicarem. Ele pareceu entender, pela primeira vez, as implicações de uma separação e passou algum tempo sem tocar no assunto.

E assim começou o "novo normal" para a família. Laura explicou aos filhos sobre a "fase difícil do papai" e continuou a fazer os planos de sempre, envolvendo churrascos, celebrações como a do Dia da Independência e passeios de trilha e pesca com amigos. Seu marido, Sr. Inconsequente, continuou a chegar em casa tarde, perder passeios com a família, dormir na varanda até meio-dia e desaparecer de repente sem ligar para avisar. Laura tinha seus limites. Sabia que não tinha que aguentar os maus tratos e que não podia entrar em negação, e não queria viver daquele jeito para sempre. No entanto, sentia que dar ao marido o espaço de que ele precisava poderia ajudá-lo a superar o que Laura acreditava ser uma crise em sua própria alma. Mesmo assim, não era fácil.

— O pior comportamento dele era não ligar para avisar que não ia voltar para casa — relembra ela. — Não estava acostumada a tanta falta de respeito. Mas eu sabia que não podia levar para o lado pessoal. O que eu sabia era que o problema estava nele.

Laura buscava consolo em seus amigos próximos, alguns dos quais a encorajavam a "botar aquele cafajeste para fora e contatar um advogado". Ela insistia na ideia de que nada daquilo era pessoal. O problema não era ela. O amor de sua vida estava passando por uma crise enorme, e agora cabia a ela manter seu relacionamento em alta conta, mesmo durante aquele período conturbado de suas vidas.

Princípio Wab Sabi

Para aliviar o sofrimento, pratique a empatia, a compaixão e a entrega, por si mesmo e por seu companheiro.

Veja bem, Laura havia acabado de assinar um contrato não negociável consigo mesma para "pôr fim ao sofrimento". Com o aconselhamento de um ótimo terapeuta e uma pilha de livros inspiracionais na mesa de cabeceira, ela compreendeu que a felicidade pessoal não é baseada em coisas fora de nosso controle. Ao assumir toda a responsabilidade por sua própria felicidade, ela sabia que poderia escolher ser feliz mesmo se (e especialmente se) seu marido confirmasse que não a amava mais. Mesmo se, no fim, ele decidisse que não queria mais estar naquele relacionamento, aquela era a hora de cuidar muito bem de si mesma. Para isso, ela precisava se libertar do resultado daquela situação.

— Não há nada como uma crise para nos incentivar a fazer aquilo que melhora nosso bem-estar, seja lá o que isso for — ensina ela.

A pergunta que vale ouro é: como alcançar esse estado de semi-iluminação capaz de proteger uma pessoa de notícias tão devastadoras?

Laura resume seu modo de pensar através de três conceitos: empatia, compaixão e entrega. Assim é possível superar situações ruins, respirando fundo e dando um passo de cada vez.

Além de sentir a dor do marido, Laura tivera seu próprio relacionamento profundo e íntimo com o sofrimento. Em 2004, ela sobreviveu a um golpe triplo da vida. Autora de catorze romances não publicados, um editor finalmente ofereceu a ela um contrato promissor, apenas para desaparecer no último minuto – de longe, a pior rejeição de sua carreira. Pouco tempo depois, seu cachorro morreu, e ela sofreu a perda mais devastadora de sua vida: a morte de seu pai, a pessoa que mais a incentivava e que ela amava profundamente.

Sobrevivente por natureza e sempre ansiosa por respostas, Laura começou a se fazer algumas das perguntas fundamentais da vida: "Quem sou eu? Qual é o meu propósito?"

— Foi por isso que me tornei escritora — confessa ela. — Gosto de entrar na mente das pessoas e descobrir quem elas são, o que me leva a aprender mais sobre mim. Minha missão como autora é escrever para oferecer conforto aos outros e a mim mesma. Não poder cumprir essa missão por tantos anos foi muito doloroso para mim, mas eu finalmente descobri que precisava mudar minha relação com a dor.

Em 2008, quando os problemas com seu marido começaram, Laura estava bem preparada para "não sofrer". Tinha adquirido uma compreensão profunda de seu próprio sofrimento e entendia que pensar em si mesma como vítima era extremamente destrutivo. Assim, fez uma escolha consciente de não fazer isso consigo mesma ou com seus filhos.

— Tudo é uma questão de poder criar seu momento presente — explica ela. — Hoje sei que somos capazes de criar tristeza ou alegria. Você pode abrir uma janela e respirar o ar puro ou pode se deixar levar por seus pensamentos obscuros e permitir que as circunstâncias sejam responsáveis pelo seu humor.

Determinada a preservar a felicidade e a normalidade da vida da família, Laura planejou uma temporada de atividades de verão divertidas para seus filhos e, para preservar a própria sanidade, passou a escrever sobre os pensamentos e emoções decorrentes da incerteza em seu casamento. Ela não podia prever os resultados da fase imprevisível de seu marido, mas podia pôr em prática sua filosofia recém-descoberta de responsabilidade completa por sua própria felicidade.

Por mais difícil que fosse conviver com o comportamento errático de seu marido, que saía para pescar com os amigos e ficava fora o dia inteiro, chegava em casa tarde e a deixava sempre que sentia vontade, isso não era nada se comparado à incapacidade dele de olhá-la nos olhos.

— Foi tão doloroso testemunhar a decadência dele. Mas eu sabia por experiência própria que a dor pode ser o nosso melhor guia — diz ela.

Laura disse a si mesma que estava disposta a conviver com a incerteza por seis meses.

Durante esse tempo, houve alguns momentos promissores e iluminados. Algumas ocasiões em que ele molhou a grama, consertou a antena de TV ou chegou a tempo de jantar com a família. Sinais pequenos, mas animadores, indicavam que talvez ele decidisse ficar, afinal de contas, e que seus instintos estivessem certos. Ela sabia que ele ainda a amava. O problema era que ele não amava a si mesmo.

Apesar desses sinais encorajadores, ainda havia muitos desafios em seu caminho. Uma de suas grandes provações envolvia o *querer* e o *apego ao resultado*.

Ela queria envelhecer ao lado dele.

Queria viajar o mundo com ele.

Queria ver o sucesso de ambos em suas carreiras.

Mas era de tanto querer que vinha o seu sofrimento. Ela diz:

— A chave para superar o sofrimento foi me comprometer com o momento presente e perceber que ele é libertador. Entender que a felicidade é uma escolha e que tudo começa com a entrega.

Agosto trouxe novos infortúnios. A irmã mais velha do marido de Laura, mãe de cinco filhos, estava precisando muito do apoio da família. Seu marido, com quem fora casada por 35 anos, a trocou por uma mulher de vinte e poucos anos, e agora ela havia perdido uma batalha de nove anos contra o câncer e estava morrendo. Como se tivesse sido sacodido pela preciosidade da vida, o marido de Laura reagiu como a pessoa responsável, gentil e amorosa que ele fora um dia, e cuidou de sua irmã em seus últimos dias. Das cinzas dessa grande perda, ele reuniu os pedaços de si mesmo, e sua própria vida passou a ter um valor renovado. Começou a entender que o importante na vida não é o sucesso profissional; o que importa são os relacionamentos, principalmente o que você tem consigo mesmo. E passou a reconhecer a esposa e amiga maravilhosa que Laura sempre fora.

Alguns meses depois, com a chegada do outono, o pior havia passado. Ele voltou a chegar em casa a tempo do jantar, a dormir na cama do casal e a fazer planos para o futuro. Quatro meses e meio de "não acreditar" – de dar a distância necessária, de não se deixar dominar pelo medo e de resistir à tentação do drama e de se comprometer com o não sofrimento e com a entrega – fizeram com que Laura se sentisse mais livre do que nunca.

O dia 25 de setembro de 2008, seu 15º aniversário de casamento, foi marcante para Laura não apenas pelo seu significado histórico. Estava saindo para buscar as crianças e, quando deu ré no carro, viu seu marido aparando a grama. Quando ele a olhou com um sorriso no rosto, ela reconheceu o homem com quem havia se casado uma década e meia atrás. Ele inclinou a cabeça e seus lábios pronunciaram as palavras de que Laura sentira tanta falta durante o verão: "eu te amo!"

Ele estava de volta. Mais importante ainda, *eles* estavam de volta. O amor voltara a guiar o coração dos dois, e, desta vez, seria para sempre. E ela devia tudo à entrega.

A linda história de Laura ilustra as possibilidades que surgem quando tomamos para nós mesmos a responsabilidade pelo nosso coração e pela nossa cabeça. Ao se recusar a sofrer, ela criou um espaço que permitiu que ela encontrasse beleza e perfeição numa situação que muitos descreveriam como um pesadelo. Como explica o Dr. Jeremy Geffen, oncologista e pioneiro na medicina integrativa: "O coração da cura está na ação com um foco bem definido e na intenção envolta nos braços da entrega."

Todos crescemos ouvindo mitos equivocados sobre o "felizes para sempre", apenas para descobrir que nossa princesa e nosso cavaleiro em um cavalo branco são pessoas cheias de questões e defeitos. O caminho verdadeiro rumo à felicidade e ao contentamento consiste em destruir as ilusões de como gostaríamos que nossos companheiros fossem, para que possamos iluminar a beleza de quem eles *realmente* são.

A história de Barack e Michelle nos mostrou a importância de cuidar de si mesmo e de assumir a responsabilidade pela própria felicidade. Michelle nos ensinou que podemos criar nossa própria felicidade e então compartilhá-la com nosso companheiro e multiplicar nossa sensação de plenitude. A história de Laura comprova os poderes curativos da entrega e de ser tolerante consigo mesmo nos momentos mais sombrios. Ela assumiu total responsabilidade por suas emoções e fez o que foi necessário para proteger seus filhos e a si mesma. As duas histórias mostram que a felicidade deve vir de dentro. Precisamos nos libertar de nossas expectativas, nos entregar aos nossos medos e aprender que somente a entrega é capaz de deixar a luz entrar.

A pergunta mais importante que você deve fazer a si mesmo não é "Como fazer meu companheiro mudar?", e sim "Quem sou eu neste relacionamento?". Estou disposto a desviar minha atenção de seus defeitos e me esforçar para criar maneiras de apoiá-lo?

Uma maneira de começar esse processo é apoiar ativamente os sonhos e objetivos de seu companheiro através do que Caryl Rusbult, pesquisadora da Universidade Vrije, em Amsterdã, chama de "efeito Michelangelo". Como fazia o artista italiano, os companheiros comprometidos em criar um relacionamento Wabi Sabi moldam um ao outro através de suas interações, revelando, por fim, sua identidade ideal. Eles incentivam os traços de seu companheiro, que promovem uma expressão ainda mais saudável de quem ele é naturalmente. Assim como Michelangelo acreditava que seu trabalho como escultor consistia em revelar a figura que já existia dentro da pedra, a sua função, como parceiro incentivador, é ajudar a pessoa que você ama a revelar o melhor de si. Torne-se o fã nº 1 de seu "companheiro de equipe", encorajando-o e apoiando seus sonhos. Isso é, para mim, uma expressão de amor incondicional e devoção verdadeira.

Uma das coisas boas que vieram da obsessão de meu pai por futebol americano foi uma tradição estranha que eu, Brian e o restante de nossa família seguimos até hoje. Sempre que um de nós conquista uma vitória na vida, cantamos o que batizamos de "Grito de Guerra da Família Ford". É assim:

- Viva o Brian! Viva o Brian!
- Toda a torcida canta: viva o Brian!
- Quatro, três, dois, um!
- Veja quem marcou mais um:
- Foi o Brian!

Pode parecer piegas, mas acredite: é divertido e faz você se sentir muito bem (não importa se você está cantando ou se estão catando para você). Todos se sentem profundamente amados quando têm alguma torcida.

Tudo o que queremos num relacionamento é alguém com quem podemos ser nós mesmos. Ansiamos por encontrar alguém que prometa nos amar nos dias bons e, acima de tudo, nos dias ruins. Queremos alguém que seja nosso porto seguro, que nos ame pelo nosso brilho e pela nossa neurose, pelos nossos traços bons e nossos traços não tão bons. E também queremos *ser* essa pessoa amorosa e de coração generoso para nosso companheiro.

Quando você se pegar reparando nas rachaduras de seu parceiro (ou se já estiver obcecado com elas), feche os olhos e imagine que essas rachaduras estão sendo preenchidas com ouro 24k. E se isso não funcionar, pense na minha frase preferida de *A Course in Miracles [Um curso em milagres]*:

"Em qualquer situação, a única coisa que falta é aquilo que eu não estou dando."

Num momento de discórdia ou julgamento, pergunte a si mesmo se talvez, quem sabe, a coisa Wabi Sabi a fazer não é dar mais apoio, mais compaixão, mais reconhecimento, mais atenção, mais tempo, mais amor.

As histórias que contamos ao longo deste livro revelam as verdades essenciais sobre o que os casais felizes fazem para manter acesa e forte a chama do amor. As lições são simples, mas os resultados podem mudar sua vida.

Diga a seu companheiro o quanto você o ama e valoriza.

Mostre que você se importa. Tudo está nos pequenos gestos.

Aprenda a amar o que seu parceiro ama: encontre uma maneira de compartilhar a paixão que sentem por seus hobbies, esportes, pessoas ou atividades preferidos.

Pratique sempre a empatia e se esforce para sentir o que seu companheiro está sentindo.

Esteja disposto a transformar o insuportável em agradável.

Aceite os paradoxos em si mesmo, em seu companheiro e na vida.

Lembre-se de procurar beleza e perfeição na imperfeição. Ela existe, e você a verá se estiver disposto a olhar através das rachaduras que todos possuímos.

A escolha é toda nossa. Esse é o mantra que Brian e eu escolhemos para reger nossas vidas. Podemos escolher a felicidade, podemos escolher a forma como agimos e podemos escolher deixar um legado de amor, compreensão e compaixão e ter um impacto positivo e substancial em nós mesmos e no planeta.

Fico emocionada por ter escolhido trilhar o caminho rumo ao final feliz; por mais que as rédeas não estejam sempre em minhas mãos, meu coração fica cada vez maior e mais amoroso, e sigo firme em minha missão de resolver o mistério do "felizes para sempre". Talvez este livro seja o manual que gostaria de ter ganhado de presente quando embarquei na aventura do meu casamento. Espero do fundo do coração que você tenha encontrado aqui a inspiração que estava procurando e um entendimento renovado do seu próprio amor.

EPÍLOGO

Nos bastidores com Brian Hilliard e Arielle Ford

"Quando duas pessoas têm uma intenção em comum para a vida, ela se manifesta através de uma parceria duradoura e fecunda. Isso significa compartilhar um propósito profundo de estar junto." — **Amara Charles**

Qualquer pessoa que passe cinco minutos com Brian e Arielle percebe que eles têm uma ligação muito especial, selada com humor, respeito mútuo e a certeza convicta de que seus caminhos conjuntos os levarão rumo a um final feliz. Seu grau de honestidade é ao mesmo tempo simples e inspirador. São o casal Wabi Sabi perfeito, generosos o bastante para compartilhar sua sabedoria aonde quer que vão.

Batemos um papo para tentar revelar a verdade por trás das palavras neste livro. Eles fazem mesmo o que falam? Eles realmente aplicam os princípios Wabi Sabi; consideram seu relacionamento sua primeira prioridade e vivem em plena aceitação dos hábitos do outro? Em uma palavra: sim!

— Christine Louise Hohlbaum, autora de *The power of slow: 101 ways to save time in our 24/7 world [O poder da lentidão:*

101 maneiras de economizar tempo em nosso mundo que nunca dorme] e colunista online do *Psychology Today*.

Que características de Arielle fazem com que ela seja perfeita para você?

BRIAN: Comecei a sonhar com Arielle antes mesmo de conhecê-la. Estava muito claro para mim que logo uma mulher linda, poderosa e fantástica entraria em minha vida. Quando nos conhecemos, entramos em sintonia no ato. Isso foi, em parte, porque eu mesmo estava alinhado com meu eu mais profundo e intuitivo. Tudo em nossa relação me dizia que ela era a escolhida, e eu sentia isso com muita convicção, e isso se confirmava diariamente conforme nosso relacionamento se desenvolvia. Esse sentimento era muito maior do que o que sentira em meus namoros anteriores e tomou meu coração de assalto.

Que características de Brian fazem com que ele seja perfeito para você?

ARIELLE: eu literalmente ouvia vozes na minha cabeça. Uma voz sussurrava na minha orelha direita "É ele. É agora que vai acontecer. É com ele que você passará o resto de sua vida". Pensei que estava ficando maluca, mas era tudo tão claro. Além disso, senti uma sensação deliciosa que percorria o meu corpo. Eu estava vibrando no ritmo do amor! A princípio, achei que ele não fazia o meu tipo por causa de seu corte de cabelo perfeito à George Clooney e suas roupas arrumadinhas. Mas a temperatura de meu corpo estava reagindo a ele, e a voz que dizia claramente que ele era O Eleito ajudou a confirmar que isso era verdade. Depois que o conheci melhor, percebi que ele estava longe de ser um cara arrumadinho! Graças a Deus pelas vozes na minha cabeça!

Seus momentos "Wayne e Sheila" diminuíram nesses 14 anos em que vocês são casados ou esses episódios ainda acontecem com frequência?

BRIAN: Acho que diminuíram, sim. Prestamos muita atenção nesses momentos e nos perguntamos com honestidade quais são os gatilhos que causam esses episódios. Hoje, essas situações são mais serenas do que eram no início de nosso relacionamento. O resultado disso é um alívio emocional, físico e espiritual que nos ajuda a superar esses momentos com mais rapidez.

ARIELLE: Também ajuda o fato de nos conhecermos tão bem. Se entro em modo Sheila, antes que ele tenha tempo de reagir eu mesma me contenho e peço desculpas. Ele faz o mesmo. Nós mesmos nos repreendemos na lata! Quando ficamos irritantes, isso não dura muito tempo, porque estamos sempre dispostos a reconhecer nossos erros.

BRIAN: Esse é um ponto importante. Resolvemos tudo imediatamente. Arielle é mais rápida que um laser, e eu respeito muito essa sua qualidade! Na maioria dos relacionamentos, tendemos a ficar emburrados e a não nos comunicarmos a respeito do que estamos sentindo. Perambulamos pela casa, permitindo que nossa mágoa cresça, e acabamos fazendo uma tempestade em copo d'água. A mágica que eu e Arielle temos é estarmos dispostos a conversar e resolver o assunto com rapidez.

Com que frequência vocês praticam o abraço de 20 segundos de Hendricks?

ARIELLE: Algumas vezes por semana, mas só porque somos muito afetuosos o tempo inteiro. Às vezes peço um abraço mais longo.

BRIAN: Gostamos de nos abraçar assim que acordamos, ao longo do dia e à noite. Estamos sempre perto um do outro e nos abraçamos o tempo inteiro. Arielle é muito boa em dizer o que ela quer e sempre pede de uma maneira carinhosa. Gosto muito de resolver situações com o abraço de 20 segundos.

Como os princípios Wabi Sabi ajudaram em seu cotidiano?

ARIELLE: No meu caso, eles me ajudam a não cobrar demais de mim mesma. Quando faço uma besteira ou esqueço algo, tento ser mais gentil comigo, ao invés de me crucificar por causa disso. Relevo coisas e peço desculpas às pessoas. Por causa do Wabi Sabi, minha vida é menos estressante. Não sou perfeccionista, e sim uma pessoa 80-20. Meu objetivo é entregar um resultado 80% bom, ao invés de me desgastar em busca da perfeição. O Wabi Sabi faz com que eu seja mais tolerante com os perfeccionistas em minha vida.

BRIAN: Isso é algo que percebi assim que comecei a praticar esportes. Já que é impossível ser perfeito, escolhi mudar a minha abordagem e comecei a ver a perfeição como um estado de espírito. Tudo o que eu preciso é saber que dei meu melhor, que tive a melhor das intenções e que meu coração estava aberto. Honestamente, faço isso desde muito jovem. É mais complicado aplicar isso num relacionamento, então é preciso exercitar ainda mais essa disciplina. Repito, uma mudança de abordagem pode revelar mais oportunidades para o amor em todas as áreas da sua vida. Haverá infinitas oportunidades e possibilidades se você se desapegar da ideia de que seu objetivo é a perfeição. Ter um bom relacionamento não tem nada a ver com perfeição, mas tem tudo a ver com estar disposto a dar e receber amor ilimitado, cuidado e reconhecimento.

Gostariam de compartilhar algumas palavras finais de sabedoria?

ARIELLE: Se você começar a abraçar os princípios do amor Wabi Sabi, terá um relacionamento muito mais feliz e muito menos estressante. Você só precisa reservar um pouquinho de tempo para criar a atenção e a intenção de viver uma vida Wabi Sabi. Maturidade emocional é uma peça que falta em muitas pessoas, que respondem à vida e a seus companheiros sem parar, por um momento, para respirar fundo e perguntar a si mesmos: "O que serviria melhor a um interesse maior neste momento?". Frequentemente, a resposta é *não fazer nada*, ao invés de perder o controle. Pergunte-se o que você pode fazer agora mesmo para servir ao bem de seu relacionamento, e com o tempo ele será mais feliz e harmônico.

BRIAN: Ninguém é perfeito, e é por isso que o conceito do Wabi Sabi é tão importante. Concentrar-se nas diferenças e nas imperfeições de seu companheiro só causa discórdia. O antídoto para isso é o amor e a devoção. Quanto mais você abrir o coração para esses sentimentos, mais eles dissolverão a infelicidade ou o pensamento de que seu companheiro não é perfeito o suficiente para você. A devoção é o ingrediente-chave – não no sentido bíblico, e sim no sentido de fazer de seu parceiro uma prioridade e escutá-lo com atenção, de fazer seu melhor para servir seu companheiro e colocar seu relacionamento em primeiro lugar. Quando você tem a intenção de criar para ele um espaço de amor, plenitude e cura, você cria um compartimento para o sagrado amor Wabi Sabi.

Colaboradores

JASON AUSTELL é âncora de um programa matinal de notícias em San Diego, Califórnia, e fã de carteirinha dos Chargers. Pode ser contactado no Jasonaustell@nbc.com.

MOJI AUSTELL é empresária em La Jolla, Califórnia. É sócia do Pilates United, o primeiro estúdio de pilates da Califórnia. (www.pilatesunited.com)

BARNET BAIN é professor, palestrante e *host* do programa de rádio *Cutting Edge Consciousness*. É também produtor e diretor de filmes premiados que celebram o espírito humano, incluindo o ganhador do Oscar *Amor além da vida* (produtor), *A profecia celestina* (produtor e roteirista), *The Lost and Found Family* (diretor), além de indicado a três prêmios Emmy por *Da rua à universidade* (produtor). (www.barnetbain.com)

JOAN BORYSENKO, Ph.D., é bióloga, psicóloga, diretora espiritual e professora de direção espiritual. Produziu vários programas em áudio e vídeo e é autora ou coautora de 14 livros, incluindo o *best-seller* na lista do *New York Times Cuidando do corpo, curando a mente* e *Fried: why you burn out and how to revive* [*Esgotado: por que você se desgasta e como reviver*]. (www.joanborysenko.com)

LAWRENCE A. COHEN é advogado e membro do Painel de Meditação da Suprema Corte do Estado de Nova York. Uma vez, durante uma pescaria em Gloucester, Massachusetts, ele deixou escapar um atum-azul de mais de 300kg e nunca se perdoou por isso.

SHERRY SUIB COHEN é escritora, e seus 24 livros já estiveram na lista do *New York Times*. Sua maior realização é Lawrence A. Cohen. (www.sherrysuibcohen.com)

BARBARA "WILLOW" POTTER DRINKWATER, primeira esposa de seu quarto (e último) marido, vive numa fazenda de cavalos e é corretora de imóveis desde 1982 na Virgínia. (www.lifeisagodtrip.wordpress.com)

GORDON DVEIRIN é coautor de *Your Soul's Compass: What Is Spiritual Guidance* [*A bússola da alma: o que é a orientação espiritual*], junto com sua esposta Joan Borysenko.

RAY DUNN é fundador do Cutters Run, que presta serviços de guia e para caça, e supervisor da Motorcycle Madness, a maior concessionária de motos seminovas de New Jersey. Mora no campo em Independence, New Jersey, com sua esposa Jill e seus filhos de quatro patas Cutter, Miracle, Sage e Cali. (www.cuttersrun.com e www.madmotorcycle.com)

LES GABRIEL é haitiano. Engenheiro elético, trabalhou embarcado durante a maior parte de sua carreira de 40 anos. Viveu na África, na Ásia, nas Américas do Norte e do Sul e na Europa. Les participou de vários seminários de desenvolvimento pessoal e atribui a eles a inspiração para viver a vida de que ele gosta. Les é um homem de família muito dedicado, cujos maiores orgulhos são suas filhas e seu neto.

MIMI GABRIEL é autora de *The Heart to Forgive* [*Perdoar com o coração*], um relato sobre como ela superou o trauma da infidelidade do marido e seus efeitos devastadores. Em seu trabalho como conselheira de mulheres vítimas de abuso, ela aplica as mesmas ferramentas que desenvolveu ao lidar com a própria experiência.

Hoje ela afirma ser a mulher mais feliz que conhece e sente-se abençoada ao ver importância renovada em seu parceiro. (www.thehappiestwoman.net)

VIVIAN GLYCK é fundadora e diretora executiva da organização Just Like My Child. Após seu sucesso como autora e diretora de marketing, Vivian fundou a organização após o nascimento de seu filho, Zak, ao perceber que todas as mães amam seus filhos e que todas as crianças merecem ter acesso a saúde e educação. Vivian, que já trabalhou com Deepak Chopra e abriu sua própria empresa, vive hoje em São Francisco com seu marido e seu filho, apesar de ser nova-iorquina. Ela prativa Bikram Yoga, ciclismo e *spinning*. (www.justlikemychild.org)

GAY HENDRICKS trabalhou por mais de 30 anos no campo de transformação de relacionamentos e de terapias corpo-mente. Com sua esposa, dra. Kathlyn Hendricks, escreveu muitos *best-sellers*, entre os quais *Conscious Loving* [*Amor consciente*] e *Os Cinco desejos*. Seu livro mais recente é *The Big Leap* [*O grande salto*]. Dr. Hendricks recebeu seu Ph.D. em Psicologia pela Universidade de Stanford em 1974 e, após uma carreira de 24 anos como professor na Universidade do Colorado, fundou o Instituto Hendricks, que oferece palestras na América do Norte, na Ásia e na Europa. (www.hendricks.com)

KATHLYN HENDRICKS é CEO e diretora de treinamento do Instituto Hendricks, uma organização que ensina habilidades básicas para se viver com consciência através de uma abordagem única do Quantum Coaching. Foi consultora e professora do programa de graduação de várias universidades e tem renome internacional por seus seminários para profissionais de saúde e empresários. É coautora de dez livros, incluindo *Conscious Loving* [*Amor consciente*], *The Conscious Heart* [*O coração consciente*] e *Lasting Love* [*Amor duradouro*]. (www.hendricks.com)

DR. JAY KENT-FERRARO é um renomado especialista em *coaching* e em desenvolvimento humano, com mais de duas décadas de experiência como psicólogo, consultor, *coach*, autor e palestrante (além de ser pai de cinco filhos!). Dr. Jay é treinado pelo renomado Instituto Gestalt de Cleveland, com especialização em trabalho com grupos pequenos e sistemas íntimos, e concluiu um estágio com especialistas em psiquiatria familiar no Centro Médico Pediátrico. Dr. Jay oferece uma combinação única de credenciais e experiência em sua consultoria. Hoje, sua paixão é compartilhar o poder de sua jornada pessoal para superar a própria infidelidade e ensinar pessoas a construir suas vidas conforme seu próprio desejo e apesar das circunstâncias em que se encontrem. (www.surprisedbylove.com)

JULIE KENT-FERRARO fica à vontade na frente das câmeras. Com treinamento "quádruplo" em canto, dança, atuação e oratória, Julie já esteve em teatro, comerciais, filmes e já foi modelo fotográfica. Trabalhou com empresas como Coca-cola, Safeway, Otasco e Sonic, além das principais agências de modelos dos Estados Unidos. Em 2006, Julie viu seus pesadelos se tornarem realidade ao ser diagnosticada com linfoma e descobrir o caso extraconjugal de seu marido. Sua força, determinação e amor à família foram mais fortes, e hoje ela se orgulha de ter sobrevivido ao câncer *e* à infidelidade. Hoje, Julie é muito requisitada como palestrante e, após seu treinamento com Dr. John e Dra. Julie Gottman do Instituto Gottman em Seattle, trabalha aconselhando casais que lutam para superar a infidelidade. Seu melhor trabalho, no entanto, é ser esposa de Jay e mãe de seus quatro lindos filhos. (www.surprisedbylove.com)

MICHAEL KOENIG é geek, surfista, produtor de vídeo e toca didgeridoo, mas é mais conhecido como o cara que criou o Traffic Geyser, que distribui mais de um milhão de vídeos por semana.

Seus clientes incluem Tony Robbins, Paula Abdul, Brian Tracy e Arielle Ford. O estúdio de Mike fica em San Diego, Califórnia. (www.mikekoenigs.com)

FRED LUSKIN, Ph.D., é autor de *Forgive for Good* [*Perdoar para sempre*] e coautor de *Stress Free for Good* [*Livre-se do estresse para sempre*]. (www.learningtoforgive.com)

JAN KRINSLEY LUSKIN queria ser cabeleireira quando criança. Seu sonho se realizou ao conseguir domar a cabeleira de Fred!

JILL MANGINO é presidente da Cicle 3 Media, uma agência de grife de relações públicas especializada em uma abordagem de corpo, mente e espírito de seus clientes. (www.cicle3media.com)

PEGGY MCCOLL é autora da lista de *best-sellers* do *New York Times* e tem reconhecimento internacional como palestrante, mentora e especialista nas áreas de objetivos pessoais e marketing online. (www.destinies.com)

LAURA MUNSON é autora do *best-seller* autobiográfico *This Is Not the Story You Think It Is* [*Esta não é a história que você está esperando*], que esteve na lista do *New York Times*. Vive em Montana com marido e filhos. (www.lauramunsonauthor.com e www.lauramunson.wordpress.com)

SUSAN POHLMANN é autora de *Halfway to Each Other: how a Year in Italy Brought Our Family Home* [*Caminhos cruzados: como um ano na Itália reaproximou nossa família*]. (www.susanpohlmann.com e www.susanpohlman.com/blog)

ROBIN RICE é autora internacional e mentora de liderança para mulheres. (www.bewhoyouare.com e www.uptribemedia.com)

ED E DEB SHAPIRO são autores de *Be the Change: How Meditation Can Transform You and the World* [*Seja a mudança: como a meditação pode transformar você e o mundo*], vencedor do prêmio Gold Nautilus em 2010, e do premiado *Your Body Speaks Your Mind* [*Seu corpo fala sua mente*]. Escrevem semanalmente para www.oprah.com/spirit e www.huffingtonpost.com/living.

SANDI STUART é consultora e cofundadora da Agency Licensing, LLC.

CLAIRE ZAMMIT, Ph.D. e CRAIG HAMILTON são cofundadores do Evolving Wisdom, uma das maiores comunidades online de aprendizado do mundo. Trabalham a serviço da evolução da consciência e da cultura no planeta através da construção de uma comunidade global de aprendizado que reúne visionários, professores e alunos com o propósito de criar transformações profundas em todos os níveis. Claire é coautora do livro *Feminine Power: Awakening to the Creative Force of Life* [*Poder feminino: o despertar para a força criativa da vida*] e cocriadora da série reconhecida internacionalmente *Women on the Edge of Evolution*. Craig é pioneiro no campo emergente da espiritualidade evolutiva. Em seus textos, suas palestras e suas aulas, Craig convida-nos a despertar para além das amarras do ego e dedicar nossas vidas à evolução da própria consciência. (www.evolvingwisdom.com)

Agradecimentos

Escrever este livro deve ter sido o maior desafio da minha vida. Lidei com medo e insegurança em níveis que não experimentava desde que fiz uma cadeira de Oratória I na faculdade. Eu realmente precisei de uma vila de amigos e familiares carinhosos para me apoiar ao longo do processo.

Agradeço à minha irmã, a fabulosa Debbie Ford, por permitir que eu tivesse acesso à sua mente brilhante e por ajudar a moldar as fundações deste livro.

À minha amiga e editora Christine Holbaum, que trabalhou lado a lado comigo (apesar de estar na Alemanha). Jamais teria conseguido escrever este livro sem você. Suas habilidades criativas, seu comprometimento e sua energia contagiante estão evidentes em cada página.

Meu "muito obrigada" a Robin Rice por me ajudar a superar minha resistência e me ajudar a aceitar meu destino Wabi Sabi.

A Linda Sivertsen, e sua maravilhosa habilidade em reorganizar palavras e frases. Obrigada por estar sempre lá para mim.

Tenho gratidão e admiração ilimitada por Jean Houston, por sua ajuda e por seus processos imaginativos que me revelaram novas dimensões e uma nova compreensão ao compartilhar meu conhecimento.

Ao meu anjo das relações públicas, Jill Mangino, obrigada por sempre cuidar de mim e por sempre encontrar maneiras de espalhar as informações.

Sou profundamente grata aos casais corajosos que compartilharam comigo suas histórias Wabi Sabi: Arjuna e Chameli Ardagh; Jason e Moji Austell; Joan Borysenko e Gordin Dveirin; Barnet Bain e Sandi Stuart; Diane V. Cirincione, Ph.D., e Jerry Jampolsky; Alanna e Mike Clear; Lawrence Cohen e Sherry Suib Cohen; Barbara "Willow" Potter Drinkwater; Mimi e Les Gabriel; Vivian Glyck e Mike Koenigs; Gay e Kathlyn Hendricks; Dr. Jay e Julie Kent-Ferraro; Fred Luskin e Jan Krinsley Luskin; Jill Mangino e Ray Dunn; Peggy McColl e Denis Beliveau; Laura Munson; Tim e Susan Pohlman; Robin Rice; Ed e Deb Shapiro; Wendy e Frank; e Claire Zammit e Craig Hamilton.

Sou muito abençoada por ter um amplo círculo de amigos e colegas, muitos dos quais contribuíram das maiores e menores maneiras, sempre oferecendo incentivo, ideias, sugestões e opiniões. Meus agradecimentos a Amy Ahlers, Carol Allen, Mary Allen, Heide Banks, Rev. Laurie Sue Brockway, Alan Cohen, Randy Collett, Otto e Susie Collins, Rita Curtis, Danielle Dorman, Vic Furman, Rich German, Gail Goodwin, Suzanne Henry, Divina Infusino, Carole Isenberg, Gloria Jones, Peggy La Cerra, Krista Linza e Don Belt, Theresa McGrath, Judy O'Beirn, Nick Ortner, Leize e David Perlmutter, Carla Picardi e Godoffredo Chiavelli, Becky Robbins, Kathleen Saver, Faye Schell, Pamela Serure, Lisa Sharkey, Marci Shimoff, Lauren Simon, Elliott Turini, Jai Varadaraj, Kyle e Jean Widner, Dee Winn, e Wyndham Wood.

À minha equipe dos sonhos na HarperOne, Cynthia DiTiberio, Gideon Weil, Mark Tauber, Suzanne Wickham, Claudia

Boutote, Maria Schulman, e Suzanne Quist, obrigada por seu apoio e por acreditarem neste livro.

À minha nova família na Evolving Wisdom, obrigada por fazer a diferença no mundo e por me convidar para entrar em seu círculo. Fico honrada em ser parte de um time tão talentoso de almas evoluídas.

Meus agradecimentos a Doc Childre, Deborah Rozman, Howard Martin e todo o time do Instituto de Heartmath, por suas contribuições pioneiras e inovadoras ao campo da inteligência do coração. Vocês mudaram minha vida.

Bênçãos sem fim à minha mãe, Sheila Fuerst, e à minha sogra, Peggy Hilliard, pela luz de amor que sempre fazem brilhar sobre nós.

Por fim, não há palavras para descrever meu amor profundo e minha gratidão pelo carinho, pela paciência e pelos comentários constantes que recebi de minha alma gêmea e meu amado marido Wabi Sabi, Brian Hilliard, que foi meu guia do começo ao fim deste processo. Obrigada por me amar. Obrigada por ser sempre meu porto seguro. Eu te amo.

Este livro foi composto em
Dante MT Std
e impresso para a LeYa
em Julho de 2013.